日本語文法演習
敬語を中心とした対人関係の表現
−待遇表現−

小川誉子美
前田直子
　❖著

スリーエーネットワーク

© 2003 by OGAWA Yoshimi and MAEDA Naoko

All rights reserved. No part of this publication may be reproduced, stored in a retrieval system, or transmitted in any form or by any means, electronic, mechanical, photocopying, recording, or otherwise, without the prior written permission of the Publisher.

Published by 3A Corporation.
Trusty Kojimachi Bldg., 2F, 4, Kojimachi 3-Chome, Chiyoda-ku, Tokyo 102-0083, Japan

ISBN978-4-88319-272-4 C0081

First published 2003
Printed in Japan

はじめに

　このシリーズは、上級レベルの日本語を適切に産出するために、文法をわかりやすく整理・説明し使い方の練習をするものです。

　日本語の基本的な構造に深くかかわる文法項目（自動詞・他動詞、敬語、条件表現、時間の表現、指示詞、文末表現、助詞など）については、初級段階で一通り学びますが、中上級に至っても学習者から「使い方がよくわからない」という声がしばしば聞かれます。中上級では、これまで表現文型を指導するための努力が多く積み重ねられ教材も整ってきましたが、文の構造にかかわる文法項目については学習者の習得にゆだねられてきたような面があります。上級においてもそのレベルに応じた文法が必要です。それらを実例の文脈の中で積極的に学習し現場で使える教材を提供していきたいと考えています。

　学習者はもとより指導する立場の方々にも、文法は学習目標というより「便利な道具」であることをお伝えできれば幸いです。

　本書は、上記文法項目のうち、「敬語を中心とした対人関係の表現」という視点から「待遇表現」を扱います。まず、待遇レベルの判断を左右する要素について考え、敬語の用法、授受表現などを学んだ後、場面に応じた使い方とふさわしい表現を学びます。

　内容が「腑に落ちる」ように、文法規則を最初に示すのではなく、使う人もルールを導きながら考えるという手法をとっています。まず、学習者が遭遇する問題を意識化し、用例から、文法上、用法上のルールを導き、さらに、ルールを確認しながら具体的な用法を見ていきます。最後に、総合演習の中で印刷物に実際に使われている文（生の文章）に触れる中で、待遇に関する知識や運用力を確認します。

　本書は、2000年から作成し、横浜国立大学や学習院大学で使用してきたものです。汎用化するに当たって、安藤節子先生、赤木浩文先生、浅山友貴先生から貴重なコメントを頂きました。授業の中で学習者から教わったこともたくさんあります。また、編集の立場から佐野智子さんに原稿を丁寧に見ていただきました。ここにお礼を申しあげます。

2003年3月　著者

この本を使う方へ

Ⅰ. 目的

a. 上級学習者の方へ

　上級レベルになり表現力がつくと、丁寧さにおいても運用面での使い分けが要求されるようになり、その結果、待遇表現の違反が目立つことがしばしばあります。一方、学習者からは社会的な場面で求められている話し方や待遇上のマナーを学びたいという声を多く聞くようになります。会話能力の養成をめざす初級テキストでは、以前より早い段階から敬語が導入されていますが、上級レベルになって待遇表現という視点から会話を見直す機会は限られています。

　本書では、日本語学習の中で日々遭遇する問題点を中心に、重要なポイントを提示しました。対人関係の発展に重要なのは、話し手の気持ちであることは言うまでもありませんが、この気持ちを伝える手段としての表現を身につけておくことも重要です。

　本書での学習を通じ、敬語不安が除かれ、それぞれの立場や状況で期待されるコミュニケーションに対し、自信が持てるようになることを望みます。

b. 先生方へ

　待遇表現は上級学習者に重要な項目として認識されつつも、いざ教室で扱うとなると他の項目とは異なる困難さがともないます。これは、取り上げるべき項目は多いが、教室で扱う項目が整理されていないこと、文法研究の成果が主たる基盤とはなりえず、それ以外の視点をどの程度持ち込むか拠りどころが明確でない点にあるようです。また、待遇表現の難しさは、そのシステムにあるのではなく、待遇レベルの判断に必要な人間関係の把握とそこに一定のルールを持ち出すことに対する危うさであるとも言われています。

　本書では、上級学習者にとっては、待遇レベルの判断に関わるおおよその規則や場面の提示は重要であると考え、敬語が使われる例として、様々なケースを取り上げました。こうした試みに対し、本書を使用された先生からご意見をいただければ幸いです。

c. 日本語教師養成課程で学ぶ方へ

　現在は学習中でも、将来、日本語を教えてみたいと考えている人、また、日本語教師養成課程で学ぶ人にも、次のような目的で使っていただけます。
　(1)日本語教育で問題となる項目と、それを克服するための文法教育の方法を知りたい。
　(2)学習者に必要な簡便で体系的な説明を知りたい。

Ⅱ．構成

a．ウォームアップ

- 今までの学習でなんとなく知っていることについて、それが確かなものがどうか考え、より適切な使い方ができるようになりたいという動機を促す部分です。

b．本文

- 「問」→「まとめ」→「練習」という流れで進んでいきます。
- 「問」に答えながら、どのようなルールがあるのかを考えます。ここで引き出したルールを「まとめ」で整理します。それに基づいて、「練習」をします。
- 特に発展的な項目には、★をつけました。

c．総合演習

- 本書の練習では扱えなかった長い文章など、生の資料も扱います。上級学習者の誤用例について考える練習、日本語話者の不適切な敬語の使い方を指摘する文章、対談、広告文などを使った実践的な練習、文学鑑賞も加えました。適切な待遇判断に基づいた運用力の向上をめざしています。
- 「Ⅰ　使い方について考える」「Ⅱ　短いメッセージの使い方」「Ⅲ・Ⅳ　実践練習」という流れですが、どこから始めてもかまいません。特に、Ⅰ、Ⅱでは本文では扱えなかった表現の使い方について考える練習もあります。

d．ちょっと一息

- 本文の内容を補足します。ここには、上級学習者から多く聞かれる質問も含まれます。より知識を得たい人、日本語研究に関心がある人は、読んでください。

Ⅲ．使い方

a．一般的な使い方

ウォームアップ → 本文 → 総合演習

b．余力のある人は、

ウォームアップ → 本文 → 総合演習 → ★のある項目 → ちょっと一息

c．日本語教育に携わる人は、

ウォームアップ → 本文 → 総合演習 → ★のある項目 → ちょっと一息

Ⅳ. 学習時間

　本書1冊（Ⅰから総合演習まで）に要する時間の目安は次のとおりです。
　　50分授業：13〜15回程度
　　90分授業：8〜10回程度
　また、項目の確認にとどめ、クラスでは「問」と「まとめ」を中心に進める場合、上記の約半分の時間でも可能です。なお、本書は、Ⅰを終えてから、必要な部分だけモジュール式に（例えば、Ⅲのあとにを）学習することも可能です。

目　次

はじめに……………………………………………………………………………………ⅲ
この本を使う方へ…………………………………………………………………………ⅳ

敬語を中心とした対人関係の表現－待遇表現－

ウォームアップ……………………………………………………………………………3

Ⅰ　待遇表現と敬語
1. 待遇表現とは…………………………………………………………………………6
2. 敬語について…………………………………………………………………………10
　⑴機能…………………………………………………………………………………10
　⑵種類…………………………………………………………………………………12
　⑶使用の原則…………………………………………………………………………13

Ⅱ　様々な表現と使い方
ウォームアップ……………………………………………………………………………18
1. 敬語表現………………………………………………………………………………20
　⑴動詞の形と使い方…………………………………………………………………20
　　①（ら）れる………………………………………………………………………20
　　②お・ご～になる…………………………………………………………………21
　　③お・ご～する……………………………………………………………………23
　　④特別な形…………………………………………………………………………24
　　⑤敬語化する部分…………………………………………………………………26
　⑵あらたまった表現…………………………………………………………………28
　　★①丁重語…………………………………………………………………………28
　　★②（さ）せていただく…………………………………………………………30
　　★③ございます……………………………………………………………………31
　　④丁寧化できる従属節……………………………………………………………32
　　⑤接辞………………………………………………………………………………33
　　⑥人を表す表現……………………………………………………………………37
　　★⑦あらたまった形（動詞・形容詞以外）……………………………………39

2. 授受表現 41
　(1)形と使い方 41
　(2)様々な用法 43
　　①人以外から受けた恩恵表現 43
　　②恩恵を表さない表現 43
　　★③「(ウチの者)に～てやってくれる」 46
3. 丁寧体と普通体の使い分け 47
　(1)書きことばの場合 47
　　①読み手の有無 47
　　★②丁寧体と普通体のまざった文 47
　(2)話しことばの場合 48
　　①聞き手の有無・数 48
　　★②丁寧体と普通体のまざった文 49

Ⅲ 待遇表現が用いられる場面

ウォームアップ 54
1. 依頼・誘いと承諾 56
　(1)依頼する 56
　(2)依頼を承諾する 58
　(3)依頼・誘いを断る 59
　(4)文句・苦情・不満を言う 61
2. 助言・忠告 63
　(1)助言を求める 63
　(2)助言・忠告を与える 64
　(3)助言・忠告を理解する 66
3. 主張・意見 68
　(1)賛成意見・反対意見を述べる 68
　(2)自分の意見を述べる 70
　(3)評価する 72
　(4)評価に対応する 74
4. 許可・申し出 77
　(1)許可を求める 77
　(2)自分の行動を申し出る 79
5. 感謝・おわび 82

(1)感謝する……………………………………………………………………82
  (2)わびる………………………………………………………………………84

ちょっと一息
  ①敬語の間違い－日本人の場合と外国人の場合……………………………16
  ②くだけた言い方と丁寧な言い方－教科書での扱い………………………17
  ③いろいろな「お・ご」………………………………………………………51
  ④「ませんです」を使う心理…………………………………………………52
  ⑤「○お見せしておりますグラフ」－丁寧に言える修飾節………………53
  ⑥「ご遠慮ください」…………………………………………………………62
総合演習……………………………………………………………………………86
参考文献……………………………………………………………………………102

日本語文法演習
敬語を中心とした対人関係の表現
−待遇表現−

敬語を中心とした対人関係の表現－待遇表現－

ウォームアップ

A．{　　　}の中で不適切なものを一つ選んでください。

(1) ＜喫茶店でメニューを見ながら＞
　　先生は何を{お飲みになりますか・飲まれますか・いただきますか}。

(2) ＜店員が客に＞
　　申し訳ございませんが、こちらではわかりかねますので、受付で{うかがって・お尋ね・お聞き}いただけますか。

(3) ＜部下が上司に＞
　　島田部長はご兄弟が{おりますか・おありですか・いらっしゃいますか}。

(4) 本日、バザーで集まった{金・お金}は、そちらの{おバッグ・バッグ}に入れて、後日お届けいたします。

(5) ＜大勢の前で説明する＞
　　グラフについてご説明します。後ろの方で見にくい方がいらっしゃいましたら、前の方へ{いらっしゃい・おいでください}。どうぞ、お近くで{ご覧なさい・ご覧ください}。

B．次の言い方は相手や状況に対し適切ではありません。直してください。

(1) 生徒：説明が速すぎるんですが。もう少しゆっくりしなければなりませんね。
　　先生：？？

(2) 生徒：兄が進学の件で先生にご報告したいと言っております。お会いになりますか。
　　先生：？？

(3) ＜授業が終わって教室を出るとき＞
　　先生：今日はこれで終わります。
　　生徒：ご苦労様でした。また、明日会いましょう。さようなら。
　　先生：？？
(4) 生徒：推薦状をお願いしたいんですが、金曜日必着でお書きください。
　　先生：？？
(5) 先輩：今日の美保さんの歓迎会、みんな楽しみにしてるからね。美保さんは主役
　　　　だから6時には必ず来てね。
　　美保：今日は気分が悪いので行きません。
　　先輩：え？？
(6) 学生：先生の父をうちまで車で送ってあげましょうか。電車で帰りたいですか。
　　先生：え？？

C．次の質問について、グループで話し合ってください。
(1) デパートで店員に「何をおさがしですか」「こちらはいかがでございますか」と丁寧に話しかけられました。客も「くつでございます」「ちょっと大きいようでございます」などと丁寧に答えなければなりませんか。

(2) 親友のうちに電話したらお母さんが出ました。いつも「よしこ」と呼んでいるし、親しいので、「よしこさん、いらっしゃいますか」ではなく、「よしこ、いますか」と言ってもいいですか。

(3) ホームステイ先の家庭では、奥さんがご主人に「お帰りは何時ですか」とか、子どもに「夕食はどこでいただくの」と丁寧な言い方をしています。このお母さんは家族に親しみを持っていないのでしょうか。

(4) ルームメートの日本人は、後輩だからか、いつも私に敬語を使ってくれます。ある日、私のアルバイト先の会社からの電話を受けた彼女は、私のことを「それではイムに折り返し電話させます」と言っていたのでびっくりしました。いつも私の前では丁寧な言い方をしているのに、私のいないところではどうして「させます」と目下に使うような言い方をしたのでしょうか。

(5) いつも親身になって相談にのってくれる先生がいます。以前、敬語は使い方によっては距離(きょり)ができてしまうと聞いたことがあります。親しい先生とは敬語は使わないほうがいいのでしょうか。

(6) 「敬語」って聞くと、「上の人に対する丁寧な言い方」ということをイメージしてしまい、何か封建(ほうけん)的な感じがします。特に「自分を低く表す」謙譲語(けんじょうご)を使うことには抵抗があるんですが、それでも使ったほうがいいのでしょうか。

(7) 大学生の日本人の友人の中で、敬語を使えないと言っている人が何人もいます。私は一応日本で仕事をしたいと思っているので敬語を勉強したいのですが、同年代の日本人が使えないのだったら、勉強する必要はないでしょうか。

❖本書の目的と内容

日本語の表現力が豊かになると、丁寧さにおいても使い分けが要求され、その結果、誤用や非用が目立つようになる。

本書では「あらたまった」話し方を中心にとりあげる。まず、敬語のシステムとそれに関連した表現を、次に、会話機能の様々な形と使い方を学ぶ。同時に、場面に沿った練習を通じ、あらたまった表現が適切に使用できることを目指す。

待遇表現と敬語	Ⅰ
敬語のシステムについての知識と運用	Ⅱ 1
授受表現の用法	Ⅱ 2
丁寧体と普通体の使い分け	Ⅱ 3
会話機能における多様な表現と運用	Ⅲ

I　待遇表現と敬語

1. 待遇表現とは

問1　aとbで異なるのは｛　　　｝のうちのどちらですか。

(1) a．これで終わりにするよ。
　　b．これをもって終了させていただきます。　　｛ことがら・伝え方｝
(2) a．すぐ行くよ。
　　b．ただいままいります。　　　　　　　　　　｛ことがら・伝え方｝
(3) a．ねえ、ここ、教えて。
　　b．ちょっと、ここ、教えていただけませんか。｛ことがら・伝え方｝

❖aとbは伝えることがらは変わらないが、＿＿＿＿は異なる。

問2　次の文章の説明として適当なものをAおよびBから1つずつ選んでください。

(1) 本日、お荷物をお届けにまいりましたがご不在でした。再度配達いたしますので、ご都合のよい日を下記の自動受付センターへご連絡ください。24時間自動音声で受け付けます。

(2) 平素は格別のご愛顧を賜り誠にありがとうございます。さてこのたび、リニューアルオープンに向け、しばらくの間、休業させていただくことになりました。大変ご迷惑をおかけいたしますが、なにとぞご理解のほどよろしくお願い申し上げます。また、オープンを記念して、3月5日より、全店で華やかに「春の大感謝祭」を開催させていただきます。ぜひ、ご来店いただきますよう謹んでご案内申し上げます。

(3) 期末試験は原則として学期末に期間を定めて行う。受験できる科目は履修届で届け出た科目に限る。ただし、平常の出席状況により、その科目の受験を認めないことがある。下記の受験の心得を厳守し、また、やむをえない事情によって追

試験を希望する者はすみやかに申し出ること。

A

> ①「ご愛顧を賜り」「なにとぞ～よろしく」「謹んで～申し上げます」など、高い敬意表現を使い、読み手を上位に扱っている。
> ②「お・ご～ください」など、読み手に丁寧に依頼する形で、指示をしている。
> ③「厳守」「者」「すみやかに申し出ること」などの表現を使い、読み手に直接的な指示をしている。

B

> ①学校で学生への通達文などに使われる書きことば表現
> ②一般的な依頼・指示表現
> ③ホテルやデパート、銀行などサービス業で顧客に対して使われる表現

問3 次の会話の説明として適当なものを①～③から選んでください。

(1) A：これは何ですか。
　　B：こちらのサークル案内です。
　　A：へえ、おもしろそうですね。
　　B：よかったら、こちらのパンフレットもどうぞ。
　　A：入会するにはどうしたらいいんですか。
　　B：じゃ、こちらの用紙にご記入ください。

(2) A：これは日本のですか。
　　B：いえいえ、それは中国のお土産。いいでしょ。
　　A：すてきですね。色合いも大変素晴らしいですし、日本ではとても珍しいんじゃないでしょうか。
　　B：花瓶に見えないでしょ。
　　A：ええ、初めに拝見したときは本だと思いました。こういうのは初めてです。
　　B：大切にしないと。
　　A：先生があちらで求められたんですか。

(3) A：これは日本のですか。
B：いえいえ、それは中国のお土産。いいでしょ。
A：すてき、色合いもとっても面白いし、すごくエキゾチック！　いいな。
B：花瓶に見えないでしょ。
A：本当に。遠くから見たら、本みたい。見たことない。
B：大切にしないと。
A：先生があちらで買われたんですか。

① Aは目上の人に配慮しつつ親しみも表している。
② Aは目上の人に配慮し丁寧に話している。
③ 初対面の二人が距離を保ちつつ話している。

問4 次の手紙文の説明として適当なものをAおよびBから1つずつ選んでください。

(1) ようやく、こちらの生活にも慣れてまいりました。この度は先生にお願いごとがあり、筆をとっております。こちらの歴史学科のヤン教授が来年日本へ行かれる件ですが、その折に先生にお目にかかって例の資料のことでお尋ねしたいとのことです。しばらくしましたら、教授からご連絡がいくと思いますが、その節はどうかよろしくお願いいたします。

(2) 小生(しょうせい)、こちらの生活にも慣れ順調にやっております。こちらの歴史学科のヤン教授の訪日の件ですが、その折に君に会って資料などについて尋ねたいとのこと、教授から連絡があったら、よきにはからってやってください。

A

① 書き手は男性で、読み手より年上である。
② 読み手は書き手の上位者である。

B

① ヤン教授は書き手の上司であろう。
② ヤン教授は書き手の同僚であろう。

❖待遇表現とは

ことばの微妙な使い方が原因で、けんかや事件になることもあれば、良好な関係をさらに発展させることもできる。

私たちは、話したり、文を書くとき（独り言や日記を除く）、

・伝える相手（例：友達、初めて会った人、恩師(おんし)、不特定多数の人）
・伝える内容（例：気持ち－感謝、怒り、悲しみなど、
　　　　　　　　ことがら－事実説明、お願い事など）
・場面・状況（例：お茶を飲みながら話す、大勢の前で話す）

などによって、表現を選んでいる。こうした**「相手、内容、場面・状況」などを考慮した表現を「待遇表現(たいぐうひょうげん)」**と呼ぶ。ここで言う「相手」とは、上位者とはかぎらない。「待遇表現」には、本来、敬語表現だけでなく、相手をいやしめたり軽くあしらう卑罵(ひば)表現、話し手を高める尊大(そんだい)表現、また、親愛(しんあい)表現も含まれる。

2. 敬語について

(1) 機能

●敬意の対象

問1 下線の表現はだれに対して敬意を表しているのでしょうか。

(1) A：昨日、山田さんが<u>おっしゃった</u>こと、とても印象的だったね。
　　B：また、お尋ねしたいね。
　　→　｛山田さん・Bさん｝

(2) A：山田さんのうちに<u>いらっしゃった</u>んですか。
　　B：ええ、久しぶりに。
　　→　｛山田さん・Bさん｝

> ❖敬語を使うことによって、**文中の人**や_____に対して敬意を表したり、また、その人を丁寧に扱ったりすることができる。

●機能

問2 aの言い方は、bと比べ、どのような印象を与えますか。

(1) a．不覚にも存じませんでした。
　　b．知りませんでした。

(2) a．僭越ながら私が乾杯の音頭を取らせていただきます。
　　b．私が乾杯の音頭を取ります。

> ❖敬語は話し手のあらたまった態度を表す。
> ❖使い方によっては話し手に｛品位・強さ｝を与える。

問3 2人の話し方が途中で変わっています。どうしてでしょうか。

＜新しい職場でのあいさつ＞

林：本日から国際交流課にまいりました林です。
　　吉田さんでいらっしゃいますね。
　　よろしくお願いします。

吉田：こちらこそよろしくお願いします。私も
　　　昨日こちらの課に来たばかりなんです。

林：吉田さんはご出身は静岡と聞いておりますが。

吉田：ええ、そうです。

林：大学は？

吉田：富士大学で国際関係学を専攻していました。

林：え！私も、富士大の国際関係だけど…

吉田：え！じゃ、木下先生、ご存知？

林：もちろん。本当に世間って、狭い！

吉田：じゃ、林さんって、ひょっとして同窓生ってこと？

❖ 敬語はよそよそしさを感じさせることがある。従って、あらたまった話題で敬語を使っていても、個人的に共通の話題がみつかって親近感をいだいたり、相手に親しみを表したいとき、敬語使用をやめたり、普通体に切り替えることがある。

問4 aの言い方は、bと比べ、どのような印象を与えますか。

(1) a．ちょっと、おどきになってくださる？
　　b．ちょっと、どいてください。

(2) a．お金がない、ない、とおっしゃいながら、
　　　よくお飲みになっていらっしゃることですね。
　　b．金がない、ないと言いながら、よく飲んでますね。

❖ 相手に好ましくない内容を、形だけ丁寧に表現することによって、慇懃無礼（いんぎんぶれい）な印象を与えたり、また、相手を｛下位・上位｝において、｛親しみを表す・威圧（いあつ）する｝こともある。

❖ まとめ－敬語使用の意味
1. 聞き手や話題の人物に｛敬意・親しみ｝を示し、話し手のあらたまった態度を表す。
2. 使い方によっては、話し手の｛品位・強さ｝を表したり、また、よそよそしさ、皮肉を表したり、相手に威圧感を与えることもある。
3. また、場面や役割によって期待されるあらたまり度が異なり、それに応じて表現が選択される。

❖ 敬語を中心とした表現を適切に使うことによって、相手を気持ちよくさせることもできるし、よそよそしさや威圧感を与えることもある。つまり、それを使ったり、使わなかったりすることによって、相手との距離を遠ざけたり縮めたりするなど、人との関係を調整するコミュニケーションの道具と言える。

(2) 種類

(1) 尊敬語　・先生がおっしゃいました。
　　　　　　・部長がいらっしゃいましたよ。

❖ ｛敬意を示す相手・話し手｝の行為に対して使われる。

(2) 謙譲語　・部長にうかがいました。
　　　　　　・お客様にお伝えします。

❖ ｛相手に向けられた話し手の行為・話し手の行為一般｝に対して使われる。

(3) 丁寧語
　★丁寧語　・おもしろい映画<u>です</u>ね。
　　　　　　・何か落ち<u>て</u>ますよ。
　★美化語　・いい<u>お</u>天気ですね。
　　　　　　・<u>ご</u>意見が<u>ございます</u>か。

❖ あらたまった態度や丁寧な扱いを示す。

❖「敬語」という場合、次のものを指す。
　(1)尊敬語　　(2)謙譲語　　(3)丁寧語
　(1)(2)は主に動詞や形容詞に、(3)は名詞や副詞に多く現れる。
❖このほか、話し手のあらたまった態度を示す言い方がある。
　　例：電車が<u>まいります</u>。(≠謙譲語…相手に対する話し手の行為ではない)
　　cf. 私が午後お宅に<u>まいります</u>。(＝謙譲語…相手に対する話し手の行為)
　謙譲語の一種とされたり、聞き手に配慮して用いられることから丁寧語として位置付けられたり、丁重語として別に扱われたりしている。
❖尊敬語・謙譲語・丁寧語・丁重語それぞれの用法については、「Ⅱ．1．敬語表現」で詳しく見ていく。

(3) 使用の原則

問1　あなた（＝B）は、次の場合、①〜④のどの言い方をしますか。

> A：あ、Cさんが……
> B：（Cさんが）　①来た。②来ました。③いらっしゃった。
> 　　④いらっしゃいました。

(1)　A＝友人　　　　　　C＝目上の人
(2)　A＝目上の人　　　　C＝別の目上の人
(3)　A＝初対面の人　　　C＝あなた（＝B）のお母さん
(4)　A＝親しい先生と友人　C＝その先生のご主人
(5)　A＝友人　　　　　　C＝その友人のお父さん

❖ 丁寧さのレベルは次の要素によって判断される
1. 「相手との関係」…………「上下関係」
「親疎関係」
「ウチ・ソトの関係」
2. 「場面や話題のあらたまり度」
3. 「話し手の受ける恩恵（相手の受ける負担）」など

❖ 丁寧さが求められる例
{⓪上・下}…………目上の人と話をするとき
{親・㊙疎}…………初対面で話をするとき
{ウチ・㊙ソト}………「外」のグループの人と話すとき
話題や場面のあらたまり度が{㊙高い・低い}…職場でスピーチをするとき
話し手が{㊙恩恵・負担}を受けたり、相手に{恩恵・㊙負担}をかける
…相手にお願いをするとき

●ウチ・ソトの関係

問2 不適切な表現を直してください。

(1) 先生：おじいさんは、その後、お元気ですか。
   生徒：おかげさまで、うちのおじいさんは、
   　　　健康に暮らしていらっしゃいます。

(2) ＜他社からの電話を受ける＞
   木村（他社の人）：スター電気の木村と申しますが、山下部長いらっしゃいますか。
   社員（山下の部下）：山下部長はただ今、ほかの電話に出ていらっしゃいます。折り返し、お電話をなさるよう、お伝えしましょうか。

❖ ウチの人についてソトの人と話すときは{目上のことであっても尊敬語は使わない・目上のことには尊敬語を使う}。特にビジネスの場面などあらたまった場面では謙譲語が使われることが多い。但し、学校は会社とは慣習が異なる場合が多い。

練習　{　　}から適当な方を選んでください。

(1)　A：あしたはご家族のどなたがいらっしゃいますか。
　　　B：祖母が{いらっしゃいます・まいります}。
(2)　A：すみません、そちらにうちの父、{いらっしゃっています・おじゃましています}か。
　　　B：ええ、いらっしゃってますよ。
(3)　A社社員：あした、2時にうかがいますので、山田課長によろしくお伝えください。
　　　B社社員：山田は午後は時間をあけておくと{おっしゃってました・言っておりました}。どうぞ、気をつけてお越しください。
(4)　A社社員：山田（上司）は何時ごろそちらを{出られました・失礼しました}か。
　　　B社社員：山田部長は10分ほど前にお帰りになりました。
★(5)　＜大学の指導教官の研究室で＞
　　　川村先生：村下先生、今、いらっしゃる？
　　　村下先生の学生：{村下・先生}は、授業中です。
　　　　　　　　　　　終わったら、川村先生に{ご連絡していただきましょうか・ご連絡させましょうか}。

ちょっと一息 ①

敬語の間違い－日本人の場合と外国人の場合

　日本人でも敬語が正しく使えない人がいると聞きます。外国人だったら、間違えて使ってもかまわないでしょうか。特に、間違えると失礼になるということがあるのでしょうか。

....

　敬語が正しく使えないといっても、日本語母語話者の場合と学習者の場合では問題となる部分が異なります。敬語は人生において習得の時期が遅く社会人になってから要求されるということが多いので、尊敬語と謙譲語の取り違えをはじめ、適切に使えない人もいます。しかし、次のような使い方は日本語を母語とする人には見られません。

　１．あなたの妻は何をなさってますか。
　２．お召し上がりなさい。
　３．先生、今日の授業、お上手にお教えになりましたね。
　上の言い方は敬語を使っているのになぜ失礼に聞こえるのでしょう。
　１は親族名称の使い方が不適切な例です。せっかく「なさる」という敬語を使っても、人の呼び方を間違えると、敬意が伝わりにくくなります。人を指す言い方（名詞）を間違えると深刻です。このほか、「山田先生」と言うところを「山田」と言ってしまったり、「息子さん」「奥さん」と言うところを「息子」「あなたの妻」と言うような言い方です。また、２のように、せっかく「召し上がる」を使っても、「～なさい」と命令の形では敬意は伝わらなくなります。これは、「お～なさる」から連想して、丁寧な形だと取り違えたのでしょう。また、３のように、直接「上位者をほめる」という言語行動は、この中で最も不適切なものとして聞こえる可能性があります。
　１、２のような使い方は、本書のⅠ、Ⅱで、３については、Ⅲで詳しく見ていきます。

ちょっと一息 ②

くだけた言い方と丁寧な言い方－教科書での扱い

　「外国人の日本語は日本人より丁寧なことがある」と言われたことがあります。そういえば、くだけた言い方を習った記憶がありません。教科書ではくだけた話し方をどうして教えてくれないのでしょうか。

　ことばには、特定の地域、職業、年齢層、集団や仲間の間でしか通じない表現があります。特に、くだけた会話ではこうした表現が多く見られます。これらは社会や時代の流れの影響を受けやすいという特徴があります。くだけた会話は、特定の地域、年齢による違いを無視してパターンを示すことはできません。例えば、単語レベルでは、「メチャ」「チョー」「まじ」「やばい」などは特定の地域や年齢層で使われているものです。

　さらに、友達同士の会話で場違いな丁寧な表現があった場合と、あらたまった場面（例えば、面接場面など）でくだけた言い方をして失礼な印象を与えた場合を比べると、後者の方が深刻な影響をもたらすと判断されます。こうしたことが教科書ではくだけた言い方が扱われにくい理由でしょう。

　地域差は敬語にもあてはまります。特に敬語の発達には地域差があり、無敬語地域と呼ばれる地域もあります。そうかと思うと「料理ができてはる」（京都地方）と料理など、モノの状態の表現にも丁寧な言い方があるなど、形や使い方も地域によっては独特のものがあります。

Ⅱ 様々な表現と使い方

ウォームアップ

A．使わないのはどれですか。a～dから一つ選んでください。
(1) ・＜社内の人に＞その件は私の方から社長に｛a．申します・b．申し上げます｝。
　　・初めまして。大阪からまいりました木村と｛c．申します・d．申し上げます｝。
(2) ・先ほど社長室に｛a．まいりました・b．うかがいました｝が、社長はお電話中でした。
　　・電車が｛c．まいりました・d．うかがいました｝ので、白線の内側までお下がりください。
(3) ・今、お時間が｛a．ございますか・b．おありですか｝。
　　・右手に見えますのは浅草寺（せんそうじ）で｛c．ございます・d．おありです｝。

B．下線部を直して、あらたまった表現にしてください。
(1) ＜アナウンス＞小学生以下の子どもは一人では入場できません。
(2) ＜コンパの進行係＞みなさんに紹介します。こちらは先生の娘と夫です。
(3) ＜手紙のあいさつ＞
　　いよいよ、秋も深まってきました。ご無沙汰（ぶさた）していますが、お元気ですか。
(4) ＜アナウンス＞
　　待っている人には整理券を配っています。順番をお呼びしますので、待っていてください。
(5) ＜先生に＞
　　うちの兄が先生に会いたいと言っています。あした会ってくれますか。

C．「くれる」を使って書き直してください。
　(1)　辞書を忘れたけど、友達が私に貸したので、助かった。
　(2)　子どものときは、兄がいろいろな遊びを教えて、楽しかった。
　(3)　おもしろい店を紹介してありがとう。今度、また、行こうね。

D．丁寧に言いたいとき、次の下線部のうち、丁寧体（です・ます）に変えられるのはどれですか。
　(1)　返品については遠慮申し上げております。ご了承ください。
　(2)　端的に申すと、今回はコストダウンは難しいということです。
　(3)　今日は課長はいらっしゃらないと思います。

1. 敬語表現

(1) 動詞の形と使い方

① （ら）れる

問1 尊敬語「（ら）れる」を使って直してください。

(1) 山本先生は校長先生を招待したが、校長先生は来なかったそうだ。

(2) 部長が書いた報告書を課長も目を通しました。

(3) 先生は2時間も待ったとのことです。

❖尊敬語の形1　（ら）れる

　五段動詞 kak　＋ areru　　　書かれる　行かれる

　一段動詞 oshie ＋ rareru　　教えられる　食べられる

　不規則動詞　　　　　　　　紹介される　来られる

　　cf. 受身形……尊敬語1と同じ

　　　五段動詞 kak　＋ areru　　　書かれる　行かれる

　　　一段動詞 oshie ＋ rareru　　教えられる　食べられる

　　　不規則動詞　　　　　　　　紹介される　来られる

　　cf. 可能形……一段動詞は尊敬語1と同じ

　　　五段動詞 kak　＋ eru　　　　書ける　行ける

　　　一段動詞 oshie ＋(ra)reru　　教え(ら)れる　食べ(ら)れる

　　　不規則動詞　　　　　　　　紹介できる　来(ら)れる

❖わかる　→　×わかられる　〇おわかりだ

　できる　→　×できられる　〇おできだ

　書いている　→　×書いていられる　〇書いておられる

❖特別な形や「お・ご〜になる」より敬度は低く、広く用いられている。

練習　次の「（ら）れる」の中で、尊敬語はどれですか。

(1) 生徒：他の言語にも謙譲語があるかどうか知りたいんですが。
　　先生：私は他の言語については①教えられないけど、韓国語についてなら、川口
　　　　　先生が後期に②教えられるはずですよ。

(2) 部下：始発で③出勤されるときは、6時前にお宅を④出られるんですか。
　　上司：最近は、夜も遅いし、6時前にはなかなか⑤出られないですね。

(3) 帰ろうとしたら、お客さんに⑥来られて、すぐには会社を⑦出られませんでした。
(4) 山本先生がそう⑧言われたんじゃなくて、木下先生に⑨言われたんです。

②お・ご～になる

問1-1 a、bどちらが日常的な表現ですか。

(1) a．きのう先生が説明されたようにやってみます。
　　b．きのう先生がご説明になったようにやってみます。
(2) a．先生のお父さんは、退院後、庭を歩かれたり、買い物に出かけられることもあるという。
　　b．先生のお父さんは、退院後、庭をお歩きになったり、買い物にお出かけになることもあるという。

問1-2 下線部をあらたまった言い方に直してください。

(1) この機械では、新500円硬貨は使えません。
(2) 6歳未満のお子様は入場できません。
(3) こちらのカードは、サインだけで、即日、加入できます。

❖尊敬語の形2　お・ご～になる

　お・ご ＋ ○○ます ＋ になる
　　　　　　○○します …する動詞

1. 「○ます」の「○」が1音節のものは「お・ご～になる」の形は使われない。
　　×お得になります　（→ 得られます）
　　例外：○お出になります
2. 「司会する」「散歩する」など、「お・ご～になる」の形では使えない動詞もある。
3. この形は、「(ら) れる」より敬度は高く、ビジネス上の接客場面など、特にあらたまった場面で用いられる。

❖可能形
　お・ご ＋ ○○ます ＋ になれる／いただける
　　　　　　○○します …する動詞

×ご入場できる

練習1　あらたまった言い方に直してください。
(1)　こちらのミーティングルームは市民の方ならどなたでも予約できます。
(2)　サインのないカードは利用できません。
(3)　工事中のため、閲覧室（えつらんしつ）で雑誌は読めません。
(4)　＜空港で＞手荷物の検査がお済みでないお客様は搭乗（とうじょう）できません。
(5)　＜新しいコンピューターソフトの展示会＞
　　　係員がご案内いたしますので、初めての方でも試せます。

問2　下線の意味として、適当な方を選んでください。
(1)　＜駅のアナウンス＞
　　　市ヶ谷へお越しのお客様、次の駅で、各駅停車にお乗り換えください。
　　　　　｛これから行く・もう行ってきた｝
(2)　＜デパートのアナウンス＞
　　　札幌よりお越しの山下様、お連れ様が１階受付前でお待ちです。
　　　　　｛来る・来た｝　　　　　　　　　　　｛待っています・待ちます｝
(3)　＜銀行員が客に＞ご入金はお済みですか。
　　　　　｛これから済ませる・もう済んだ｝

❖ 尊敬語の形3　お・ご〜
　お・ご ＋ 〇〇ます ＋ （中）だ／のN／ください
　　　　　　〇〇します …する動詞
　※時間は文脈から判断される。
　　例：お待ちだ／の方　←　待っている
　　　　お越しの方　←　（から）来た人　（へ）行く人
　　　　お客様はお帰りだ　←　（これから）帰る
❖ 尊敬語の形3「お・ご〜」は、尊敬語の形2「お・ご〜になる」に比べ、日常場面で広く使われている。

練習2　「お・ご＋〇〇＋だ／の／ください」を使って丁寧な言い方に直してください。
(1)　＜上司に＞受付にお客様が来ています。
(2)　＜空港のアナウンス＞空席を待っているお客様、カウンターまで来てください。
(3)　＜上司に＞その会合へは、社長は欠席しますが、副社長は出席します。

(4) ＜係員が参加者に＞案内書を持ってない方は、どうぞ、取ってください。
(5) 急いでいる方、席を探している方は、係員まで申し付けてください。

③お・ご〜する

問1 話し手の行為の表現に注意して、聞き手や文中の人に敬意を示す言い方にしてください。

(1) 出来上がり次第、先生に見せます。
(2) 今月中に先方に届けます。
(3) 午後にでも持って行きます。
(4) 先生に連絡します。
(5) 中国へいらっしゃったら、地元の者しか知らない穴場を案内します。

問2 下線の言い方はa、bどちらが適切ですか。

(1) a．授業で出されたテーマでレポートをお書きし、提出いたしました。
    b．先生に集合場所までの道のりをお書きします。
(2) a．＜見知らぬ人に＞そのかばん、重そうですね。お持ちしましょうか。
    b．（私の）大きな旅行かばんをお持ちして、部長と出張に出かけました。
(3) a．お世話になった皆様に感謝の気持ちをお表しいたします。
    b．お世話になった皆様に感謝の気持ちをお伝えいたします。

❖謙譲語の形1　お・ご〜する

　お・ご ＋ ○○ます ＋ する／いたす
　　　　　○○します …する動詞

❖「お・ご〜する」が使われる動詞
　　例：（人に）お知らせする、（人に）お届けする、（人に）お渡しする、
　　　　（人に）お見せする、（人から）お預かりする、（人に）ご連絡する、
　　　　（人を）ご案内する、（人を）ご招待する
　　特徴：「人に」など、直接受け手を｛持つ・持たない｝動詞

❖「お・ご〜する」が使われない動詞
　　例：笑う、びっくりする、感激する、などの感情動詞
　　　　帰る、座る、結婚する、レポートを書く、など
　　特徴：｛主語の範囲にとどまる・相手に届く｝行為

練習 下線部の動詞の中で、「お・ご～する」の形が使えるものはどれですか。
(1) お世話になった先生方を同窓会に<u>招待しました</u>。
(2) 山田さんの怪我については、私がご自宅に<u>連絡しておきます</u>。
(3) 私は部長の後ろの席に<u>座ります</u>。
(4) お世話になった知人にプレゼントを<u>買いました</u>。
(5) 部長のスピーチに<u>感動しました</u>。

④特別な形

問 次の動詞は特別な形の尊敬語や謙譲語を持ちます。（　　　）に動詞を一つ書いてください。

	尊敬語 尊敬語の形４　特別な形	謙譲語 謙譲語の形２　特別な形
行く・来る	いらっしゃる おいでになる （　　　　　　　） （　　　　　　　）	まいる （　　　　　　　）
いる	おいでだ （　　　　　　　）	（　　　　　　　）
する	（　　　　　　　）	（　　　　　　　）
言う	（　　　　　　　）	申す （　　　　　　　）
聞く	———————	（　　　　　　　）
見る	（　　　　　　　）	（　　　　　　　）
見せる	———————	（　　　　　　　） （　　　　　　　）
食べる・飲む	（　　　　　　　）	いただく
思う	———————	（　　　　　　　）
知る	（　　　　　　　）	存じる （　　　　　　　）
着る・はく	（　　　　　　　）	———————

Ⅱ　様々な表現と使い方

尋ねる	———————————————	（　　　　　　　　）
会う	———————————————	（　　　　　　　　）
借りる	———————————————	（　　　　　　　　）

❖ 基本動詞の中に、特別な形を持つものがある。
❖ 「拝」のつく謙譲語には「拝見する」「拝借する」以外にも次のものがある。
　　例：拝受する、拝聴する、拝読する、拝察する、拝顔する

練習1　下線部を適切な言い方に直してください。
(1)　先生はコーヒーを<u>いただきます</u>か。それともソフトドリンクに<u>いたします</u>か。
(2)　山下先生、高校の後輩が先生に<u>拝見したい</u>と言っています。
(3)　先生、ホームページのことなら、田中さんが詳しいはずです。<u>うかがってください</u>。
(4)　再考の余地があると（私は）<u>存じます</u>が、部長はどう<u>存じます</u>か。
(5)　木村先生がお見えになりました。どうぞ、先生もこちらに<u>お見えください</u>。

練習2　敬語の使い方を間違えて聞き手が誤解した例です。解説を完成してください。
(1)　＜だれが先に雑誌を読むか＞
　　学生：やっと来ましたね。注文していた雑誌。<u>拝見します</u>？
　　先生：ゆっくりどうぞ。ぼくは、後でいいから。
　　学生：え？？　先生が先に見てくださいよ。
　→　学生は先生に_____てほしかった。この場合、学生は
　　「_____」と言うべきだった。
(2)　＜通りを歩いているとき道に迷った＞
　　学生：だれかに<u>うかがいますか</u>。
　　先輩：じゃ、聞いてくれる？　あの人が知ってそうじゃない？
　　学生：え？？　そんな、ぼくがですか？？
　→　この学生は本当は先輩に_____てほしかった。
　　この場合、学生は「_____」と言うべきであった。

⑤敬語化する部分

●複合述部や動詞が複数ある場合

問1 山田さんに敬意を示す言い方をする場合、次の二つの下線部分は両方変えますか。

(1) (山田さんは) 経営に関する本をすでに5冊も<u>出版</u>~~しています~~。
(2) (山田さんは) 来年<u>引退</u>~~するつもりだ~~。
(3) (山田さんは) いつも、OHPを<u>使いながら</u>、~~講演をする~~。

❖ 複合動詞を敬語化する場合、次の方法がある。
　社長が話している
　　→　1. お話しになっている（前のみ）
　　　　2. 話していらっしゃる（後のみ）
　　　　3. お話しになっていらっしゃる（両方）
❖ 動詞が複数あるとき、（最後の）一つを敬語化するだけでもいい。

練習1 下線の人に対して敬意を示す言い方にしてください。

(1) <u>センター長</u>は外国人支援集会に参加する方針を継続したいと言った。
(2) <u>部長</u>は、インタビューをしてから、報告書を作成するそうだ。
(3) <u>社長</u>は、書類を受け取って、捺印（なついん）し、郵送した。

●人が複数登場する場合

問2 下線の言い方はだれを上位者として扱っていますか。

(1) 大島さんは夏木さんを<u>ご案内する</u>。
(2) 大島さんは夏木さんを<u>案内された</u>。
(3) 大島さんは夏木さんに写真を<u>お見せした</u>。
(4) 大島さんは夏木さんに写真を<u>お見せになった</u>。

Ⅱ 様々な表現と使い方

❖敬語は、「話し手から聞き手」「話し手から主語の人」に対して示されるだけでなく、「話し手から主語以外の話題の人」に対して示されることもある。
　例：Ⓧ がYを招待される　……　話し手から主語の人
　　　XがⓎをご招待する　……　話し手から主語以外の話題の人

練習2-1　下線の人物①②それぞれに対して敬意を示す言い方にしてください。
(1)　①金沢課長が②戸田課長を本店に案内した。
　　　①
　　　②
(2)　①先輩が②店長に新しいＯＡ機器を紹介した。
　　　①
　　　②

練習2-2　1箇所だけ直して、下線の人に敬意を示す言い方にしてください。
(1)　書道の先生はお弟子さんたちにわかりやすいようにゆっくりとお手本を書いた。
(2)　島田さんは茶道の先生にお菓子はどこで買ったらいいか聞いた。
(3)　発表会終了後、ゼミの仲間たちは先生を打ち上げパーティーに招待した。
(4)　松田さんは先生に無事入学試験に合格したことを知らせた。

❖まとめ－動詞

尊敬語	謙譲語	あらたまった表現
（ら）れる	お・ご～する	
お・ご～だ・くださいなど	特別な形	
特別な形		
※お・ご～になる		※させていただきます
		※ございます

※印は限られた場面でしか使われないもの
「させていただきます」「ございます」は、次節（2）「あらたまった表現」で学ぶ

27

(2) あらたまった表現

★①丁重語

問1 次の文は文中のだれかを高める言い方ですか。

(1) 予定の飛行機は2時間遅れでただいま到着いたしました。
(2) ワールドカップの開催地は世界中から訪れるサポーターでにぎわっておりました。
(3) 夜も更けてまいりました。

❖話し手のあらたまりを表す言い方（＝丁重語）
　文中のだれかや聞き手を高めるというのではなく、聞き手に丁寧に伝えるときに使われる。話し手の行為だけでなく、モノ（例：飛行機）やことがら（例：天候）についても使われる。

❖丁重語には次のものがある。

	丁重語
（ところに）います	（　　　　　）
行きます・来ます	（　　　　　）
言います	（　　　　　）
知っています	（　　　　　）
食べます・飲みます	（　　　　　）
します	（　　　　　）

練習1 動詞の形に注意し、あらたまった表現にしてください。

(1) 3番線に急行電車が来ます。
(2) 夕べはずっと小説を読みふけっていました。
(3) きれいな絵葉書が送られてきました。
(4) ＜手紙のあいさつ＞秋も深まってきましたが、いかがお過しですか。
(5) 体調を崩してしまい、お酒はこのところ飲んでいません。

問2 どちらを使いますか。両方使う場合もあります。

(1)　「かわいい」ということを、この地方では「めんこい」と｛申します・申し上げます｝。

(2)　＜司会者＞みなさまに｛申します・申し上げます｝。ただいま、主賓(しゅひん)が到着されました。拍手(はくしゅ)でお迎えください。

(3)　寒さが一段と厳しくなって｛まいりました・うかがいました｝。

(4)　これから先生のお宅へ｛まいります・うかがいます｝。

❖丁重語と謙譲語の使い分け

①　（ 〇 ）電車がまいります／（ × ）電車がうかがいます

②　（　　）リンと申します／（　　）リンと申し上げます

③　（　　）先生のお宅へまいりました／（　　）先生のお宅へうかがいました

使い分けが必要な場合（①、②）とどちらでも使える場合（③）がある。

❖謙譲語…話し手を低くすることで、聞き手や文中の人（「〇〇を／に」の〇〇）を高める。

　　　例：申し上げる、うかがう、存じ上げる

丁重語…高める相手はいないが、話し手の丁寧なあらたまりを表す。

　　　例：申す、まいる、存じている

　　　例：×私は新幹線の駅名を全部存じ上げています。

　　　不適切な理由：｛聞き手・駅名｝を高めているため

練習2　（　　　）の動詞を適当な形に直してください。

(1)　あす、校長室に報告書を持って（行きます→　　　　　　）。

(2)　韓国から（来ました→　　　　　　）イムです。どうぞよろしく。

(3)　理由は課長に（言った→　　　　　　）とおりです。

(4)　このあたりは昔の地名で（言います→　　　　　　）と、相模(さがみ)の国でございます。

(5)　昨日お目にかかった剣道の先生は母がよく（知っている→　　　　　　）方でした。

(6)　その件には関わりたくないのか、何を尋ねられても、彼は
　　「（知りません→　　　　　　）」としか答えない。

★② (さ)せていただく

問 次の「(さ)せていただく」の中で、実際にだれかから許可を得ることを前提にした言い方はどれですか。

(1) こちらのパソコン使わせていただいてもいいですか。
(2) 先生の紹介でこの会に出席させていただきました。
(3) 山田さんの家族とは2年程前からいいおつきあいをさせていただいております。
(4) 当社ではIT商品を中心に開発させていただいております。

> ❖ 「(さ)せていただく」の使われ方
> ① だれかの許可をもらって行なったことを表す場合
> ② 実際にはだれかの許可をもらったわけではないが、その場の人々や関係者にあらたまりの態度を示す場合
>
> 注意：②の使い方は、最近、あらたまった表現として広まりつつあるが、一方で、「他の人の意向を考慮して許しを得ていないのに、考慮し許しを得たかのような表現である」として、使いすぎに不快感を示す人もいる。

練習 相手の意向を考慮した言い方はどちらですか。

(1) ＜欠席することを上司に願い出る＞
　a．今日のミーティング、欠席させていただきます。
　b．今日のミーティング、欠席させていただけますか。

(2) ＜先生に借りた本の返却日の延長を願い出る＞
　a．今日お返しするはずだった本、明日返却させていただきます。
　b．今日お返しするはずだった本、明日でもよろしいでしょうか。

★③ございます

●です

問1 次の「です」をさらにあらたまった丁寧な言い方にしてください。

(1) ＜電話を受ける＞はい、山本です。
(2) ＜手紙＞ご無沙汰しておりますが、先生はお元気ですか。

> ❖「でございます」は「です」のさらに丁寧な形である。
>   時間だ ……➤ 時間です ……➤ 時間でございます
> ❖「でございます」は次のように使われる。
>   「(モノは) ～でございます」
>   「(私は) ～でございます」
>   cf.「(相手は) ～でいらっしゃいます／（でございます）」
> ❖「でございます」は、非常にあらたまった特定の場面で用いられる。「でございます」を使うときは、その前後も敬語が使われる。
>   ○リンでございます。中国から<u>まいりました</u>。
>   ？リンでございます。中国から<u>来ました</u>。
>   cf. ○リンです。中国から来ました。

練習1「でございます」か「でいらっしゃいます」を入れてください。

(1) ＜自己紹介＞私が本日案内役をつとめさせていただくリン_____。
(2) ＜ガイド＞こちらの展示品は将軍直筆の手紙_____。
(3) ＜名前を確認したいとき＞私は留学生のリンと申します。失礼ですが、数学の山本先生_____か。
(4) ＜エレベーターの中で＞次は、8階、書籍売り場_____。
(5) ＜お父さんを失った恩師への手紙＞ご尊父様のご訃報に接し、心よりお悔やみ申し上げます。以前にお目にかかったときはお元気そう_____だけに、残念な思いでいっぱい_____。

● あります

問2 次の「あります」を 丁寧な形にしてください。
(1) 当社の海外支店は香港とバンコクに<u>あります</u>。
(2) ほかに、ご意見、ご質問は<u>ありませんか</u>。
(3) 部長はサッカーに関心が<u>あります</u>から、是非お誘いしましょう。

> ❖「ございます」は「あります」の丁寧な形でもある。
>   「(話し手に) 〜がございます」
>   cf.「(第三者、聞き手に) 〜がおありです／ございます」
>   第三者や聞き手の場合は、「おありです」(尊敬語) のほかに、
>   「ございます」も使われるが、「関心」「興味」などは、「おありです」
>   が使われる。

練習2 次の「あります」を丁寧な形に直してください。
(1) 新製品は店頭にあります。
(2) 来週なら、私の方は特に予定はありません。
(3) 先生、午後は予定がありますか。
(4) 立ち入ったことをうかがいますが、先生は茶道にご興味がありますか。
(5) ＜飛行機の中のアナウンス＞
   非常口は中央と後方の２ヶ所にあります。また、救命胴衣(きゅうめいどうい)はお座席の下にあります。

④丁寧化できる従属節

問 丁寧に言いたいとき、下線の中で「です・ます」に変えることができないものはどれですか。
(1) その話はいったい<u>本当なのか</u>と疑問に思いました。
(2) ＜デパートのアナウンス＞
   お客様の山下様、<u>いらっしゃったら</u>、お近くのカウンターまでお越しくださいませ。
(3) 雨も<u>降り始めたし</u>、これで失礼いたします。
(4) 貴重な助言を<u>いただいて</u>、ありがとうございました。

❖あらたまった場面でより丁寧な言い方をしたいとき、次のように表現できる。

～から・が　→　～ますから・が　（○）
～ので　　　→　～ますので　　　（○）
～と（思う）→　～ますと（思う）（　）
～たら　　　→　～ましたら　　　（　）
～し　　　　→　～ますし　　　　（　）
～て　　　　→　～まして　　　　（　）

　　cf. 先生は、急いで（→×急ぎまして）帰られました。
　　　　喜んで（→×喜びまして）おうかがいします。

練習　下線部で「です・ます」で言えないものはどれですか。
(1) 長い間お世話に<u>なって</u>、ありがとうございます。
(2) お手伝いできることが<u>あったら</u>、いつでもお力になります。
(3) 明日、母がまいる<u>ので</u>、いっしょにうかがいたいのですが、よろしいでしょうか。
(4) 私も興味が<u>あるので</u>、<u>都合がついたら</u>、ご連絡いたします。
(5) 率直に<u>申すと</u>、勉強も<u>忙しくなってきたし</u>、実は、今のアルバイト、いつまで<u>続けるか</u>迷っているんです。
(6) <u>続いて</u>、課長がご挨拶申し上げます。

⑤接辞

問1-1　次のことばの中で、「お」がつくものはどれですか。

知らせ	連絡	年	年齢	ところ	住所	招き	招待（しょうたい）
兄弟	姉さん	時間	暇	勉強	専門	職業	活躍（かつやく）
質問	協力	食事	料理	指導（しどう）	本	都合	忙しい
多忙（たぼう）	上手	ゆっくり	気の毒	立派（りっぱ）			

❖原則としては、和語に｛お・ご｝を、漢語に｛お・ご｝をつける。
　例外：お時間　　お勉強　　お食事　　お料理　　お上手
　　　　ごゆっくり

問1-2 「お・ご」がつかないものはどれですか。

(1) お飲み物　おドリンク　お車　おタクシー　お手紙　おメール
(2) お会館　お信号　お駅　お道路　お橋　お箸　お皿　お肉　お砂糖　お水　お机

❖一般的に「お・ご」がつきにくいもの
　1. ｛カタカナ語・和語や漢語｝
　2. ｛身のまわりのもの・公共物など｝
❖おおよその傾向はあるが、慣用的な用法もある。
　　例：〇ご印鑑　　×おはんこ　　〇お出口　　×お入り口

問1-3 a、bどちらが適当ですか。

(1) ①子どもたちは遠足にサンドイッチや｛a．おにぎり・b．にぎり｝を持っていく。
　　②この寿司屋の｛a．おにぎり・b．にぎり｝は新鮮で味もいい。
(2) ①あまりに｛a．寒い・b．お寒い｝福祉政策に、市民は抗議運動をおこした。
　　②今日は｛a．寒くて・b．お寒くて｝、コートが必要です。
(3) ①これで宴会は｛a．開き・b．お開き｝にします。
　　②魚の｛a．開き・b．お開き｝は、天気のよい日なら、2、3時間でできる。
(4) ①お客様の｛a．荷物・b．お荷物｝をお預かりいたします。
　　②日ごろ練習しない部員が突然試合にきても、チームには
　　　｛a．荷物・b．お荷物｝だ。

❖「お」はいつも丁寧な扱いをするときに使われるとは限らない。
「お」の有無で意味が異なるものがある。
　　例：にぎり、寒い、開き、荷物など

問1-4 適当な方を選んでください。

(1) 宴会では｛おワイン・ワイン｝ばかり飲みました。
(2) 先生は、｛お犬・犬｝より｛お猫・猫｝の方がお好きだそうです。
(3) ｛お茶・茶｝を飲みながら、｛お菓子・菓子｝をいただきました。
(4) ＜成人女性＞今日は｛お客さん・客｝があるので、これで失礼します。
(5) ＜成人女性＞両親から｛お金・金(かね)｝を借りて、マンションを買いました。

Ⅱ 様々な表現と使い方

❖「お・ご」をつけた場合のニュアンスはことばによって異なる
  1.「お・ご」がないと、乱暴に聞こえることがあるもの
     例：茶、菓子、客、酒、つまみ、金、すし、風呂、など
  2.「お・ご」をつけると、こっけいに聞こえるもの
     例：犬、猫、ワイン　など
❖成人女性の会話では「お」をつけない「酒」「金」という言い方はあまり聞かれないが、報道ニュースでは女性キャスターでも「お」をつけない。
  例： 1. 警察では、この事故の原因を、{お酒・酒}を飲んだ運転手が制限速度を無視して運転していたことによるものと見ています。
     2. 犯人は奪った{お金・金}をかばんに入れ、逃走しました。

練習1　「お・ご」の使い方の中で、不適切なものを直してください。
(1) ご体をご大切になさってください。どうぞ、お元気で。
(2) どうぞ、おゆっくりとご覧ください。
(3) お結婚おめでとうございます。どうぞ、末長くご幸せに。
(4) 今日はうっかりしておかばんを忘れたので、おはんこもお金もありません。
(5) ＜飛行機の機内アナウンス＞
   当機はまもなく離陸いたします。飛行中のごタバコはお遠慮くださいませ。お携帯電話もお切りくださいますよう、お協力願います。

問2　だれに向かって話していますか。
(1) お年いくつ、お名前は？
(2) だれにお手紙書くの。
(3) お魚が泳いでるね。
(4) お洋服にかわいいお花がついてるね。

❖（　　　　）と話すとき、「お・ご」がよく現れる。

練習2　幼児に対し、親しみを表して話したいとき、次は何と言いますか。
(1) ぼくにその本見せてください。
(2) 少し目を開けてくれますか。
(3) 手も足も小さいですね。

35

(4) 私に水をかけないでください。

(5) 外を見てください。

問3 特別な表現を書いてください。

	話し手のもの	相手のもの
品		お品
茶		お茶
会社		貴社　御社
うち		お宅

❖待遇を表す接辞
・聞き手のものに
　御　（　御社　）
　貴　（　貴社　貴殿　）
・話し手のものに
　粗　（　粗品　粗茶　）
　弊　（　弊社　弊店　）
　拙　（　拙宅　拙著　）
　小　（　小社　★小生　）
「寸志」「薄謝」の「寸」「薄」も少ないという意味の謙譲表現
cf.「小生」は、謙譲の一人称で、手紙で男性が年下の者に使う。

練習3 ①〜⑤で使い方が不適切なものはどれですか。

(1) 店員：こちら、①粗品です。どうぞお使いください。
　　客：おしゃれな②粗品ですね。ちょうどほしかったんです。

(2) ＜来客に＞③粗茶です。どうぞ。
　　客：いただきます。このお茶は、甘いお菓子によくあいますね。

★(3) 上司：④寸志です。会の運営の足しにしてください。
　　部下：皆さん、部長から⑤寸志をいただきましたよ。

⑥人を表す表現

1. 方・者、複数の表現

問 適当な方を選んでください。

(1) こちらからは田口という｛者・方｝がまいります。そちらからいらっしゃる｛者・方｝は何というお名前ですか。

(2) ｛来賓(らいひん)たち・来賓の方々｝は、どうぞ、こちらにお越しください。

❖「者」：｛話し手自身や身内・聞き手や第三者｝に対して使われる。
　「方」：｛話し手自身や身内・聞き手や第三者｝に対して使われる。

❖複数を表す言い方
　「たち」：私たち、子どもたち、兄弟たち、生徒たち
　「ら」：ぼくら、彼ら、生徒ら（「たち」と同じレベル）、おまえら、やつら
　　　　　（見下した言い方）、これら（書き言葉調）
　「ども」：私ども（謙遜の意味）、がきども（罵倒(ばとう)語につくと乱暴な言い方
　　　　　　になる）
　「方」「方々」：あらたまった言い方

❖待遇を意識しない文章では「方」「方々」はあまり使われない。

練習 適切な方を選んでください。

(1) ＜講演が終わって＞それでは、ご出席の｛お母さんたち・お母さん方｝のご意見をうかがいたいと思います。

(2) ＜主催者のあいさつ＞本日のバザーは｛ボランティアたち・ボランティアの方々｝のご協力を賜(たまわ)り、前回を上回る収益をあげることができました。ありがとうございました。

(3) ＜報道文＞サッカー場のまわりは｛サポーターたち・サポーター方｝でにぎわっている。

(4) ＜報道文＞講演終了後、表情をこわばらせた｛学生たち・学生ども｝は被害者の｛家族ら・家族の方々｝の署名に応じた。

2. 親族呼称

問 適切な表現に直してください。

(1) ＜先生に＞お母さんの具合が悪いので、一時帰国したいのですが。

(2) ＜友人に＞父は元気？

(3) ＜知り合いに＞子どもは、今、何歳ですか。

> ❖ 親族名称は「ウチ・ソトの関係」の区別（ウチには敬称をつけないが、ソトにはつける）が必要である。
> ❖ 親族名称等にはそれぞれ固有のニュアンスがある。
>   例：おふくろ、兄貴、せがれ、亭主、ご令息、など

練習 適切な表現にしてください。
(1) 先生のせがれは学生ですか。
(2) ＜写真を見ながら部長に＞この方は部長の娘ですか。
(3) ＜公園で知らない人に＞かわいい孫ですね。

3. 敬称（～さん）

問1 「～さん」や敬語の使い方は適切ですか。
(1) ＜歴史書＞徳川家康さまは、1600年、関ヶ原の戦いに勝たれました。
(2) ＜解説書＞夏目漱石(なつめそうせき)さんは、東大をおやめになって、作家活動に専念された。
(3) ＜ポスター＞宇多田ヒカルさんのコンサートチケットはいよいよ明日10時発売！

> ❖ 歴史上の人物や著名な人物について語るとき、「さん」をつけたり、敬語表現をしない。「さん」をつけると、個人的な知り合いというニュアンスをおびる。

問2 「さん」をつけて呼びかけることができないのは、どれですか。
(1) 魚屋さん　　デパートさん　　本屋さん　　お寿司屋さん　　病院さん
　　交番さん　　警察さん
(2) 駅員さん　　店員さん　　看護婦さん　　ガイドさん　　運転手さん
　　管理人さん　　大工さん　　お医者さん　　学生さん　　アルバイトさん
　　中国人さん　　店長さん　　社長さん　　エンジニアさん　　部長さん
　　部下さん　　おやじさん　　おふくろさん
(3) 「お客様はお二人さんですか」「今日はお二階さんはにぎやかですね」
　　「お隣さんは先生さんですか」
　　「課長、〇〇工業さんからお問い合わせの電話です」

- ❖ 職名、役職名に「さん」をつけて呼びかけることができる。
- ❖ ビジネスの場面で他社の人と話すとき、「〇〇銀行さん／さま」「〇〇商事さん／さま」と呼ぶことがある。
- ❖ 接客業で人数や場所で人を指すとき、「三人さん」「お二階さん」と呼ぶことがある。
- ❖ 幼児は動物や自然物を擬人化し「さん／さま」をつけて親しみを表すことがある。

　　例：きりんさん　ぞうさん　お日さま　お月さま　お星さま

★⑦あらたまった形（動詞・形容詞以外）

問 下線部をあらたまった表現にしてください。

(1) お手元のボタンを3回<u>ぐらい</u>押してください。
(2) ＜電話で＞和田は<u>あした</u>まで出張に出ております。<u>あさって</u>からまいります。
(3) <u>じゃ</u>、<u>あとで</u>お電話いたします。

- ❖ 動詞や形容詞以外にも、あらたまった形を持つものがある。あらたまった表現を使うことにより、文体を統一したり敬語を引き立てることができる。（以下はよく使われるもの。）

	あらたまった形		あらたまった形
きょう	(　　　)	さっき	(　　　)
あした	(　　　)	少し・ちょっと（時間）	(　　　)
あさって	(　　　)	少し（量）	(　　　)
きのう	(　　　)	これ・ここ	(　　　)
おととい	(　　　)	(　　　　　)	平素
このあいだ	(　　　)	(　　　　　)	誠に
あとで	(　　　)	(　　　　　)	ならびに
今・すぐ	(　　　)	(　　　　　)	所存
もうすぐ	(　　　)		

練習1　下線部分をあらたまった言い方に直してください。

(1)　こっちの報告書はこのあいだ先生達が作成されたものです。

(2)　今日はようこそいらっしゃいました。

(3)　会長からさっき連絡がございました。すぐお着きになりますので、ちょっとお待ちください。

(4)　在庫が少ししかございません。お早めにお求めください。

練習2　卒業式における卒業生のあいさつです。下線部を適切な表現に直してください。

　ご列席（れっせき）の先生たち、そして、来賓（らいひん）たち、今日はあたたかいお言葉をいただきありがとうございました。社会に出てからも、さっきの激励（げきれい）を忘れずに本校の卒業生として誇（ほこ）りをもって、社会に貢献するつもりです。

練習3　新製品を紹介するＤＭです。下線部を適切な表現に直してください。

　いつも格別のお引き立てを賜（たまわ）り感謝申し上げます。こんど、消費者らからいただいたご意見をもとに、新製品を開発いたしました。その一部をサンプルとして同封させていただきました。

　本当に勝手ながら、同封の用紙にご意見、ご感想をお書きいただけましたら幸いでございます。今後ともうちの会社の製品をよろしくお願いいたします。

2. 授受表現

(1) 形と使い方

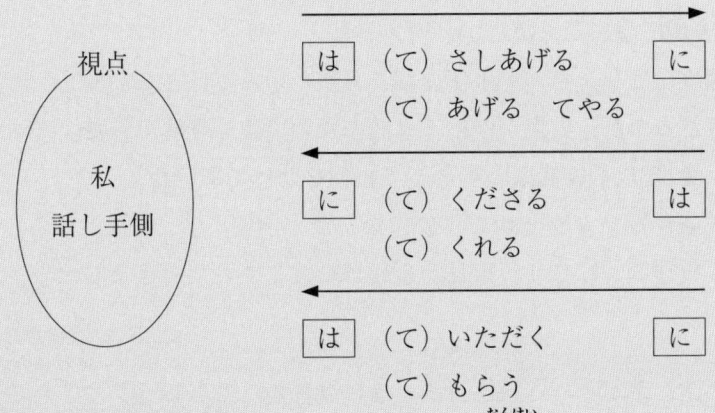

❖ ~は~に（~て）さしあげる （くださる／いただく／あげる／もらう、など）

```
                    ────────────────→
視点           は  （て）さしあげる    に
                   （て）あげる　てやる
私
話し手側        ←────────────────
               に  （て）くださる     は
                   （て）くれる

                ←────────────────
               は  （て）いただく    に
                   （て）もらう
```

矢印（与える側→受ける側）は、物・行為・恩恵（話し手がとらえたもの）などの移動を示す。

❖ 不利益を受けたとき、困惑、指示、決意表明なども、授受動詞によって表される。
次節 (2)様々な用法 P. 44 マイナス表現（困惑・不満）参照

問 1 適切な表現に直してください。

(1) その映画は見た人に強い影響をくれる。
(2) 実際に山下さんに会って話したら、強い印象をもらった。
(3) 整理券は入り口で係りの人にあげてください。
(4) ＜ニュース＞AはBに賄賂をあげた疑いで、Bは賄賂をもらった疑いで逮捕された。

❖ 利益や恩恵の移動があっても、「与える」「受ける」「する」「なる」「渡す」などの動詞が用いられることがある。
❖ 特に、説明文、報道文など、客観的な表現が要求されるときは、恩恵があっても授受動詞は使われない。

練習1 適切な表現に直してください。

(1) 昔の童謡を聴くと、懐かしい気持ちをもらう。
(2) 子どもたちはだれもが教育をもらう権利がある。
(3) ＜報道文＞X代議士は特定の業者に便宜をあげた疑いで、逮捕された。
(4) ＜病院で＞初診の方は問診表を受付にくれてから、待合室でお待ちください。
(5) ＜解説文＞遣唐使は大陸の文化や書物を持ち帰り、社会に様々な影響をくれた。

問2 適切な表現に直してください。

(1) 中国語の翻訳にはリンさんが手伝えばありがたいんだけど。
(2) 難しい内容だったが、先生がゆっくり読んだのでよく理解できた。
(3) ＜説明文＞北条政子は武家の妻として頼朝を助けてあげた。
(4) ＜ニュース＞合唱コンクールで1位になった小学校には、主催者から、オルガンを贈ってもらうことになり、市長から目録を渡していただきました。

> ❖一般的に、話し手が受ける恩恵行為には授受表現（てもらう、てくれる）が使われる。
>   例：兄が駅まで送ってくれた。（？送った）
>   父は私のことをやっとわかってくれた。（？わかった）
> ❖説明文や報道文など客観的な表現が要求される場合は、恩恵があっても授受表現は使わないことが多い。

練習2 適切な表現に直してください。

(1) 夕立がきたが、友達が私に傘を貸したので、ぬれずに帰宅できた。
(2) 道に迷ったとき、親切なおまわりさんに丁寧に教えられたので、何とかたどり着くことができた。
(3) 教科書を忘れたが、友達に見せられて、本当に助かった。
(4) 困ったときに、あなたを助ける人が身近にいますか。
(5) 一生懸命に説明したが、彼は私のことをわからなかった。残念だった。
(6) ＜説明文＞そのサークルでは、クリスマスになると、地域の病院を回ってコーラスを披露してあげている。
(7) ＜新聞記事＞被害者は、通りかかった中学生に110番通報してもらい、病院に運ばれたが、まもなく死亡した。

(2) 様々な用法
①人以外から受けた恩恵表現
問「～てくれた」のは人ですか。
(1) この掃除機、よく、働いてくれたから、そろそろおひまをあげようかな。
(2) 今年の風邪はしつこくて、なかなか治ってくれないのよね。
(3) 雨がやんでくれてよかった。これで、着物を着て外出できる。
(4) のどかな景色が傷ついた心をいやしてくれた。

❖次の場合も授受表現が使える。
1. 与え手が人でないとき　　　　　例：雨が降ってくれた。
2. 直接自分に向けられた行為でないとき　例：やっと帰ってくれた。

練習 授受動詞を使って気持ちを表してください。
(1) この本は親子の愛についていろいろ考えさせる本だ。友達にも紹介しよう。
(2) 子どもたちはすくすくと大きくなって、ほっとしている。
(3) 早く、雪が降らないかな。スキーが待ち遠しい。
(4) 電車がすぐ来たので、ぎりぎり約束に間に合った。
(5) 今日は授業が早く終わったので、すぐに映画を見に行った。

②恩恵を表さない表現
●指示・意思表明
問1 下線の行為はだれがしますか。聞き手ですか、話し手ですか。
(1) 奨学金の貸与を受けた人には卒業後5年目から20年以内に<u>返済</u>していただきます。
(2) ＜病院で＞予約のない患者さんは2時間ぐらい<u>お待ち</u>いただくことがあります。
(3) 店長としてというより、大人としての<u>責任</u>をとってもらいます。
(4) ＜職場で＞今日からロビーも<u>禁煙</u>とさせていただきますので、よろしくお願いします。

❖ 指示の表現
　（聞き手）に　お・ご　＋　○○ます　＋　いただきます
　　　　　　　　　　　　　○○します　…する動詞
　　　　　　　　　〜ていただきます
　　　　　　　　　〜てもらいます

❖ 話し手の意思表明
　（話し手）は　〜させていただきます
　　　cf. P.30 ② （さ）せていただく

<u>練習1-1</u>　（　　　）の動詞を適当な形に直してください。
(1) ＜ファッション評論家＞
　若い人にはもっと明るい色の洋服を（着る→　　　　　　　）たいですね。
(2) ＜職場で＞
　こう無断欠勤（むだんけっきん）が多くては、（やめる→　　　　　　　）しかありませんね。
(3) ＜教室で先生からの注意＞
　私語が多い人は（退室する→　　　　　　　）から、気をつけてください。
(4) カードをなくされた方には、再発行の手数料として、500円を各自で
　（負担する→　　　　　　　）ので、あらかじめご了承（りょうしょう）ください。

<u>練習1-2</u>　「させていただきます」を使って、強い意志を表してください。
(1) ＜職場に愛想をつかし、もう辞めたい＞　＿＿＿＿＿＿＿＿＿＿＿＿＿＿＿。
(2) ＜怒りが心頭（いかしんとう）に発し、その場を去りたい＞　＿＿＿＿＿＿＿＿＿＿＿＿＿＿＿。

●マイナス表現（困惑・不満）
<u>問2</u>　話し手は下線の行為から利益を受けていますか。
(1) ＜医者が助言に従わない患者に対して＞
　<u>そんなことをしてもらっては</u>、もう治療効果（ちりょうこうか）は望めませんよ。医者としての責任は負えなくなります。
(2) ＜ねこが部屋を散らかしたのを見て＞
　<u>とんだことをしてくれた</u>ね。<u>仕事を増やしてくれて</u>、手のかかること！

❖相手のもたらしたマイナスの事態に「てくれる」「てもらう」をつけて不快な気持ちを表すことがある。

練習2 （　　）の中の動詞を授受表現を使った形に直してください。
(1) ＜ひどいことを言われて＞
そんなひどいこと、よくも、（言う→　　　　　　　）ね。
(2) ＜大切な書類を捨てられたとき＞
（やる→　　　　　　　）ね。

●**決意表明「～てやる」**
問3　「～てやる」はだれかに利益をもたらそうとしていますか。
(1) 来年は絶対合格してやる！
(2) 必ず、有名になって、見返してやる！
(3) どうでもよくなった。もう、死んでやる！

❖決意表明を表す表現
「（必ず、絶対に）＋～てやる！」
相手を困らせたり、見返したり、間接の働きかけを決意したときや自暴自棄になったときの表現。

練習3　＜　　＞の状況で「てやる」を使って決意を表明する言い方にしてください。
(1) ＜試合に負けて＞
次の試合は、絶対に（　　　　　）！
(2) ＜いつも遅刻を注意されて＞
明日こそ、絶対に時間どおりに（　　　　　）！
(3) ＜これ以上、今の会社で働くのがいやになって＞
こんな会社、もう（　　　　　）！
(4) ＜人に誤解され悔しい思いをして＞
そんなことを言われるなら生きていてもしょうがない。（　　　　　）！

★③「(ウチの者) に～てやってくれる」

問 話し手がミキを「ウチの関係」として扱っているのはどちらですか。
(1) ヒロ、ミキに気を落とさないように言ってやってくれない？
(2) ミキ、これ、ヒロに持って行ってやってもらえる？

> ❖「Aに～てやってくれる／～てやってもらえる」
> 話し手とAがウチの関係（Aが心理的に話し手側）にあるとき、Aに代わって依頼するときの表現。

練習 話し手が友人に依頼する場面です。授受動詞を入れてください。
(1) ＜友だちに自分の弟のことを頼む＞
   弟の宿題、手伝って（　　　　　　　　　　）？
(2) ＜姉の友人に姉のことを頼む＞
   うちの姉、このところずっと落ち込んでいて、食事ものどを通らないみたいなんです。時間があったら、姉の話、聞いて（　　　　　　　　　　）。
   お願いします。
(3) ＜先輩に兄のことを頼む＞
   兄貴は今の職場で孤立しているようなんです。ぼくが言ってもあまり聞いてくれないんで、先輩から何か言って（　　　　　　　　　　）。
   よろしく頼みます。

3. 丁寧体と普通体の使い分け

(1) 書きことばの場合

①読み手の有無

問 次の文は日記文ですか、手紙文ですか。

(1) 今日、修了式があった。これで終わった。来月からいよいよ仕事だ。しばらくはゆっくりしようと思っている。

(2) 昨日、修了式をすませ、ほっとしています。来月からいよいよ仕事です。しばらくの間はゆっくりしようと思っています。

❖読み手を意識する必要のない文では丁寧体は使わない。
　　例：日記、メモ

★②丁寧体と普通体のまざった文

問 次の文は丁寧体で書かれた文です。波線の部分は丁寧体に変えられません。どうしてでしょうか。

(1) 私はひとりぼっちなんだ、だれも助けてくれないんだ、海外で生活していると、こんな風な気持ちになることはありませんか。孤独感というんでしょうか、そんな気持ちにおそわれるんですよね。

(2) 5時に起きる、5時半に朝のバイトに出かける、そのまま学校へ行く、午後6時には夕方のバイトへ行くといった、過密な毎日を送っていたせいでしょうか、ダウンしてしまいました。

❖心の中で思ったことや列挙されたことがらには、丁寧体の文の中でも普通体を使う。

練習 聞き手を意識して丁寧に言いたいとき、次の下線のうち、丁寧体にできるのはどこですか。

(1) また、失敗してしまった、何がいけなかったんだろう、もうやり直せないのだろうかと落ち込んでいるときに、ちょっと声をかけてくれる人がいると、後悔の念から解き放たれた気分になる。そんな経験はだれにでもあるだろう。

(2) 早く大人になりたい、だれからも干渉されたくない、これは、今の子どもたちの叫びだ。もう少し、子どもに任せてはどうだろうか。

(3) 私の国には、物価が安い、景色がきれい、観光名所が盛りだくさん、人々が親切、といったセールスポイントがある。そして、人々の優しい笑顔が迎えてくれる。是非、来てほしい。

(2) 話しことばの場合
①聞き手の有無・数
問 下線のうち、対話者個人に向けて話しているのはどこですか。

(1) ＜授業中＞
　　生徒：あの、書き方がわかんないんですが。
　　先生：名前は表紙に①書いて。それから、クラス名は②次のページにね。さあ、そろそろ時間③ですよ。④書けましたか。

(2) ＜二人の会話＞
　　鈴木：あ、⑤いけない。お金⑥忘れた。⑦困ったなあ。
　　前田：え、何か？
　　鈴木：いえ、⑧何でもないんです。

> ❖一対一の対話で普通体を使っても、多数に話しかけるときは丁寧体を使うことがある。
> ❖聞き手を持たない独り言では、丁寧体は使わない。

練習 (1)で独り言はどこですか。(2)でみんなに向けて話しているのはどこですか。

(1) ＜体操の演技を見て＞
　　花子：わああ、すごい、なんでこんなこと①できるの。どれぐらい②練習したんだろう。ね、あれって③すごいですよね、どうすればこんな事が④できるんでしょうね。
　　一郎：結構練習⑤したんでしょうね。それにしても⑥すごいなあ。

(2) ＜テニスの練習中＞
　　コーチ：さあ、練習、①続けますよ。それじゃ、夏木くん、こっちへ来て、②かまえて。みんな、よく、夏木くんのフォームを③見てください。もっと、④体を低くして。そうそう、こういうふうに、足の屈伸を⑤使ってくださいね。

みんな：はい。

★②丁寧体と普通体のまざった文

問 次の会話の中で、Aの話し方についての解説を完成させてください。

A：きのう、お帰りですか。
B：ええ、沖縄に行ってきたの。とてもきれいだったよ。
A：うらやましい。私も一度でいいから行ってみたいな。で、お料理はどうでした？
B：母はとても喜んでた。また行きたいってね。
A：お母さんもいらっしゃったんですか。先輩って親孝行ですね。私も見習わなくっちゃ。
解説：この会話で、Aは丁寧体と普通体を両方使い、丁寧さに配慮しながら、同時に{親しみ・無礼}を表している。丁寧体で会話を進めながらところどころに現れる普通体は、不規則に現れるのではなく{自分の感想を述べる・相手に尋ねる}ときのみ使われている。

❖親しい目上の人に丁寧さを維持しながら話したい場合
1. 依頼、感謝、質問など、相手に働きかける表現は{普通体が使われる・丁寧体が維持される}。
2. 話し手の感情表現などは、{普通体が使われる・丁寧体が維持される}ことがある。
3. 相手の欲求、意思、行動、家族についての問いかけ方は、親しい間柄との会話とは異なり、丁寧さが求められる。（Ⅲ章参照）

鈴木（1997：61, 72）より

練習 目上の人と親しみを表しながら丁寧さを維持したい場合、丁寧体のまま使われるのはどこですか。

(1) ＜職場の先輩と昼休みに＞
A：先輩の転勤のうわさを①聞きました。この話、②本当ですか。
B：耳、早いね。実はそうなの。そろそろお知らせしようかと思ってたところだったんだけど、来月から福岡勤務になってね。まあ、実家にも近くなるし。
A：え、③さびしいです。もっと④一緒に働きたかったです。
B：是非、福岡にも遊びに来て。うちに泊まっていいから。

A：⑤ありがとうございます。福岡でも、お元気で⑥がんばってください。でも、この職場、⑦つまらなくなりますね。

(2) ＜先生の研究室で＞
A：失礼します。わあ、①明るいですね。
B：ええ、午後はね、この部屋は南西向きだから。
A：②なんか、いいかおりがします。あ、③あの花ですか。
B：ええ、兄が、ユリの栽培に凝っていてね。毎年この時期になると送ってくれるの。
A：へえ、お兄さんが④いらっしゃるんですか。
B：とにかく、座って。
A：はい、⑤ここでいいですか。
B：どうぞ。
A：じゃ、⑥失礼します。

ちょっと一息 ③

いろいろな「お・ご」

「お返事ください」の「お」と、「お返事します」の「お」は同じですか。また、自分のものを「ご連絡（をさしあげる）」と言えるのに「お考え」と言えないのはなぜですか。

....

「お・ご」には複数の機能があります。

尊敬語　<u>お</u>体を大切に。<u>ご</u>連絡をいただいた。<u>お</u>飲み物は？　<u>お</u>返事ください。
　　　　→「体」「連絡」などは相手のもの。

謙譲語　<u>ご</u>報告を忘れた。<u>ご</u>挨拶にうかがう。<u>お</u>返事します。
　　　　→「報告」「挨拶」などは自分のもの。しかし相手に関わるもの。

丁寧語　あの<u>お</u>店は今日はお休みだ。<u>お</u>天気がいいですね。
　　　　→「店」などは自分のものでも相手（聞き手）のものでもない。

謙譲語として「私のお考え」「私のご専門」などが使えないのは、相手に関わるものや相手に渡るものではないためです。

丁寧語の場合、品位を保持するための敬語とも呼ばれています。

尚、「返事」は「お返事」「ご返事」とどちらも用いられます。

ちょっと一息 ④

「ませんです」を使う心理

「行きませんでした」という形は初級で習いましたが、「行きませんです」は習っていません。「ませんです」という言い方を聞いたことがありますが、これはどんなときでしょうか。

....

○1.「行きませんでした」
×2.「行きますです」
×3.「行きませんです」
×4.「行きましたです」

2～4はいずれも非文法的ですが、好ましくない過剰敬語という見方もあります。

しかし、あらたまった話し方の中で、「うちには、ありませんです」「もう、終わりましたですか」という言い方を、まれですが、耳にすることがあります。これはどんな意識から使われるのでしょうか。

　山田だ　 ⋯▶　山田です　⋯▶　山田でございます
　白い　　 ⋯▶　白いです　⋯▶　白うございます
　行く　　 ⋯▶　行きます　⋯▶　×××

「です」に対しては「(で)ございます」という、より丁寧な形がありますが、「ます」に対してはありません。「ますです」は敬意が「ます」だけでは足りないという意識から用いられているものと思われます。

ちょっと一息 ⑤

「○お見せしております グラフ」－丁寧に言える修飾節

「今お見せしておりますグラフはここ1ヶ月の売り上げの変化を示しております」という言い方を聞きました。「お見せしているグラフ」が正しいと習いましたが、このような言い方はどんなときに使われるのですか。

....

○1. これからご覧に入れます写真は水中写真でございます。

「ご覧に入れる」という敬語動詞の使用に加え、もっと聞き手にあらたまりを示したいという気持ちから使われるのでしょう。大勢の聞き手の前で話すときに使われます。しかし、いつでも使えるわけではありません。

×2. 明日いらっしゃいません方は何名ぐらいでしょうか。

×3. 面白くありませんご説明で申し訳ありません。

2、3が示すように、動詞の否定形や形容詞（い・な形容詞どちらも）は使えません。使えるのは動詞の肯定形の場合だけで、特に敬語動詞の場合に使われます。

III 待遇表現が用いられる場面

ウォームアップ

A．次の｛　　｝のどちらが適切ですか。
(1) ＜先生に＞すみません、先生、この書類にはんこを押して｛ください・くださいませんか｝。
(2) ＜友達同士で＞
「ねえ、悪いんだけど、千円、貸してくれない。」
「｛いいえ・ごめん｝。」
(3) ＜親しい友達に＞夏休みにはご両親のところへ｛帰ったほうがいいんじゃない？・帰るべきじゃない？｝。
(4) ＜部長に＞申し訳ありませんが、明日の会議、欠席させて｛いただきます・いただいてもよろしいでしょうか｝。
(5) ＜手紙＞拝啓　昨日は遅くまでごちそうになり、｛ありがとう・ありがとうございました｝。
(6) ＜職場の田中先輩に＞田中さんのレポート、読みました。｛大変勉強になりました・わかりやすくてよかったです｝。

B．次のA・Bはどちらがよりよいと思いますか。
(1) アルバイト先の上司：悪いんだけど、今度の日曜日も来てくれないかな？
学生A：日曜日はできません。来週、試験があるんです。
学生B：来週試験があるんです。だから、日曜日は勉強しないと…。
(2) 部下A：課長、このお菓子、おいしいですよ。どうぞ。
部下B：課長、このお菓子、おいしいですよ。あげます。
(3) 学生A：先生のお話、なかなか面白くうかがいました。
学生B：先生のお話、とても面白くうかがいました。

(4) 先生：じゃあ、この本、来週まで貸してあげるよ。
　　学生A：すみません。
　　学生B：ありがとう。
(5) 先生：日本語が上手になりましたね。
　　学生A：はい。
　　学生B：いいえ。

❖人に何かを頼んだり、許可を求めたり、感謝したりする表現は、文法的に正しくても、場面によっては誤った表現となることがある。相手と自分の関係によく配慮(はいりょ)した表現を適切に使うことが重要である。

1. 依頼・誘いと承諾

(1) 依頼する

問1 次のどちらが丁寧ですか。

(1) a．明日10時に来てくれますか。
　　b．明日10時に来てもらえませんか。
(2) a．ペンを貸してくれますか。
　　b．ペンを貸してくれませんか。
(3) a．今晩、電話してくれませんか。
　　b．今晩、電話していただけませんでしょうか。
(4) a．調査にご協力ください。
　　b．調査に協力してください。

❖ 1. 人に何かをすることを頼むことを「依頼」という。「依頼」は相手が動作を行う点は「命令」と同じだが、「依頼」では普通、話し手（依頼する人）が結果的に利益を得る。そのため、日本語では「くれる・もらえる」を使った表現が「依頼」に使われる。

2. 「くれる・もらえる」の違いは主語の違いであるが、「あなた」「私」は表現されなくても決まっているので、通常は省略される。
　　例：（あなた＿＿＿私＿＿＿）地図を書いてくれますか。
　　例：（私＿＿＿あなた＿＿＿）地図を書いてもらえますか。

3. 依頼表現には丁寧度に差がある様々な表現がある。
　　例：地図を書いてください。
　　　　地図を書いてくださいますか。
　　　　地図を書いてくださいませんか。
　　　　地図を書いてくださいませんでしょうか。

　　　　　　　　　　　　　　　　　　↓ より丁寧な表現

> 4.「依頼」は「指示」「勧め」と関わりがある。聞き手が断れない行為である場合は「指示」であり、聞き手に利益がある行為であれば「勧め」になり、話し手に利益がある場合であれば「依頼」になる。
>
> | | 指示 | 依頼 | 勧め |
> | --- | --- | --- | --- |
> | てください | ○ | ○ | ○ |
> | お〜ください | ○ | × | ○ |
> | てくださいませんか | × | ○ | × |
>
> 例：＜先生が学生に＞立ってください。
> 例：＜パーティーで＞
> 　　お召し上がりください。
> 例：日本語を教えてくださいませんか。
>
> 新屋・姫野・守屋（1999：30）より

練習1 次の表現をより丁寧な表現に変えてください。答えは一つとは限りませんが、どのくらい丁寧な表現が適切か、考えてみましょう。

(1) ＜家族に＞このペン、貸して。→　＜友達に＞
(2) ＜友達に＞このビデオ、貸してくれる？　→　＜先輩に＞
(3) ＜図書館で＞この本、来週まで貸してもらえませんか？　→　＜先生に＞
(4) ＜先輩に＞1万円、貸していただけませんか。→　＜先生に＞

● 依頼表現の前置き

問2 次の状況で話すときに適切なことばを下線部に入れてください。

(1) ＜ファストフードショップで＞
　　「① _____、ポテトとコーヒー、② _____ 。」

(2) ＜授業中、先生に＞
　　「① _____、この漢字の読み方をもう一度言って② _____ 。」

(3) ＜先生に＞
　　「① _____、明日のゼミを休② _____ 。」

❖依頼の場面では、依頼の相手と内容によって、次のような表現が使われる。
1. よびかけ　　　　　　　例：すみません。
2. 相手の反応の確認　　　例：A：あの、ちょっとすみません。
　　　　　　　　　　　　　　　B：はい（と相手が応じるのを確認する）
3. 依頼することの確認　　例：あの、先生、お願いがあるのですが。
4. 言い訳・お詫び・事情説明　例：本当に申し訳ないのですが、
　　　　　　　　　　　　　　例：明日どうしても病院に行かなければ
　　　　　　　　　　　　　　　　ならないものですから。

詳しくは、蒲谷・川口・坂本（1998：140, 141）を参照

練習2　次の状況で依頼してみましょう。その際、下線部に適当な文を入れてみましょう。

(1) 先輩の佐藤さんに明日提出するレポートを見てもらう。
　　_____、_____、_____。
　　　よびかけ　　　　　　事情説明　　　　　　　　　　依頼

(2) 親しい友達に漢字の読み方を聞く。
　　_____、_____。
　　　よびかけ　　　　　　　　　　　　　依頼

(3) 美術館に電話をかけて、日曜日の開館時間を教えてもらう。
　　_____、_____、_____。
　　　よびかけ　　　　　　依頼の確認　　　　　　　　　依頼

(4) 先生に奨学金の申し込みに必要な推薦状(すいせんじょう)を書いてもらう。
　　_____、_____、_____、_____。
　　よびかけ　依頼の確認　　事情説明　　　　　　依頼

(2) 依頼を承諾する

問　次のa、bのうち、正しい方を選んでください。

(1) A：ねえ、この本、貸してくれる？
　　B：{ a．どうぞ。・b．どうも。}

(2) A：明日の9時に電話してくれませんか。
　　B：{ a．はい、あげますよ。・b．はい、いいですよ。}

(3) 上司：悪いんだけど、これを英語に翻訳してくれない？
　　部下：{ a．はい、いいですよ。・b　はい、わかりました。}

❖相手から依頼されて、それを承諾する場合には、「いいですよ。」を使うが、相手が目上の人の場合には、この表現は不適切である。その場合には「＿＿＿＿＿＿。」を使う。自分のものや自分の近くにあるものを手渡すときには、「どうぞ。」を使うこともできる。

練習 次の依頼を承諾してください。
(1) 親しい友達：悪いけど、携帯電話、使わせてくれない？
(2) 先生：よかったら、今度のパーティーでスピーチしてもらえないかな。
(3) 先輩（年上）：申し訳ないんだけど、今日の会議、出られないって部長に言っておいてくれないかな。
(4) 後輩（年下）：すいません。このレポート、見ていただけないでしょうか。

(3) 依頼・誘いを断る

問 次のBは依頼や誘いを承諾していますか、断っていますか。
(1) A：あの、部長、すみません、ちょっとご相談したいことがあるんですが、午後、お時間をいただけないでしょうか。
　　B：午後ですか、午後は、会議があるから、ちょっと…。
(2) A：すみません、明日までこの本を貸してもらえませんか。
　　B：そうですねえ…。
(3) A：明日のパーティーに来てもらえませんか。
　　B：はい、明日でしたらよろこんで。
(4) A：ちょっとうちに寄っていきませんか。
　　B：じゃあ、せっかくですから…。
(5) A：あさっての晩、飲み会があるんだけど、どう？
　　B：ありがとうございます、せっかくなんですが…。
(6) A：来月の研究会で発表してもらえませんか。
　　B：ありがとうございます。是非やりたいのですが、まだデータが集まっていなくて。
(7) A：来週の日曜日のゴルフ大会、参加してもらえないかな。
　　B：来週の日曜ですか？　あいにく用事がありまして。
(8) A：是非、一度、お試しいただきたいんですが。
　　B：せっかくなんですが、今回は見合わせます。

❖ 相手から依頼されたり、誘われたりしたときに、それを断る場合には、直接的な断りの表現は使われないことが多く、次のような表現が使われる。
　1．謝罪する　　　　　　　　例：「すみません。」「申し訳ないんですが。」
　2．できない理由を述べる　　例：「今日は忙しくて」
　3．残念な気持ちを述べる　　例：「残念ですが」「せっかくですが」
　　　　　　　　　　　　　　　　　「あいにく」「悪いんだけど」
　4．次回は承諾する　　　　　例：「次は必ずやります。」
　　　　　　　　　　　　　　　　　「また声を掛けてね。」
その他、「ちょっと…。」「そうですね…。」「うーん。」「考えておきます。」という表現も、断りを表す。

❖ 動詞を使う場合は、「やらない。」という意味の間接的な言葉を使ったり、可能動詞の否定形を使ったりする。
　　例：「今回は見送ります。」「今回は見合わせます。」
　　　　「今回は差し控えたい。」
　　例：「すみません、お貸しできないんです。」
　　　　「明日は行けないんです。」
「行けません。」という直接的な終止の形よりも「行けないんです。」という説明の形や「行けそうもなくて。」「行けないものですから。」というような中止の形を使うほうが適切である。

練習　次の依頼を断ってください。その際、下線部に適当な文を入れてみましょう。

(1) 親しい友達：悪いけど、明日までこの本、貸してもらえないかな。

　　＿＿＿＿＿＿＿＿、＿＿＿＿＿＿＿＿＿＿＿＿。
　　　　　謝罪　　　　　　　　理由

(2) 先輩：明日、パーティーをやるんだけど、君も手伝いに来てくれない？

　　＿＿＿＿＿＿＿、＿＿＿＿＿＿＿＿＿＿＿＿、＿＿＿＿＿＿＿＿＿＿＿＿＿＿＿。
　　　　謝罪　　　　　　　　理由　　　　　　　　　　次回は承諾

(3) 上司：友達が中国語を習いたがっているんだけど、教えてやってくれないかな。

　　＿＿＿＿＿＿＿＿、＿＿＿＿＿＿＿＿＿＿＿＿。
　　　　　謝罪　　　　　　　　理由

(4) 先生：今度の日曜日に国際交流の集いがあるんだけど、手伝ってくれませんか。

＿＿＿＿＿＿＿、＿＿＿＿＿＿＿＿＿＿＿＿＿。
　　謝罪　　　　　　　理由

＿＿＿＿＿＿＿＿＿＿＿、＿＿＿＿＿＿＿＿＿＿。
　　可能動詞の否定形　　　　　　謝罪

(5) 隣の家の人：来月、教会でバザーがあるんですが、何か品物を提供してくれませんか。

＿＿＿＿＿＿、＿＿＿＿＿＿＿＿＿、＿＿＿＿＿＿＿＿＿＿＿＿。
　謝罪　　　　　　理由　　　　　　　次回は承諾

(6) 先輩：今度の日曜、みんなで温泉に行くんだけど、一緒に行かない？

＿＿＿＿＿＿、＿＿＿＿＿＿＿＿、＿＿＿＿＿＿＿＿＿＿。
　謝罪　　　　　　理由　　　　　　　断る

★(7) ＜手紙＞是非とも、我が社の商品を購入していただきたく、お願い申しあげます。

＿＿＿＿＿＿、＿＿＿＿＿＿＿＿＿＿＿。
　謝罪　　　　　今回は買わない

(4) 文句・苦情・不満を言う

問1 次の直接的な文句・苦情・不満を依頼の形で言ってみましょう。

例1　静かにしてほしい。→　静かにしていただけないでしょうか。

例2　寒いな。暖房、入ってないなあ。→　暖房を入れていただけないでしょうか。

(1) もう少し小さい声で話してほしい。
(2) 黒板の字が薄いので、濃く書いてほしい。
(3) 音楽を止めてほしい。
(4) たばこは喫煙室で吸ってほしい。
(5) あなたの声が小さくて聞こえないなあ。
(6) 私も明日の会議に参加したい。
(7) あー、のどが渇いた。コーヒーでも飲みたいなあ。
(8) 注文した料理に虫が入っている。

問2 次のどちらが適切ですか。

(1) すみません、注文したコーヒーがまだ｛来ません・来ないんですが｝。
(2) 先生：昨日の試験、あまりできていませんでしたね。
　　学生：｛すみません・それはそうですけど｝。

(3) すみません、ちょっと、テレビの音が{大きいですから・大きいんですけど}。
(4) 先生：＜遅れて来た学生に＞リムさん、遅刻ですよ。
　　リム：{すみません・電車が事故でなかなか来なくて、駅から走ってきたんです}。

> ❖相手に苦情や文句を言う場合は、直接的に言うのではなく、依頼の形にしたり、「のですが」を使って状況を説明する形にしたりするほうが丁寧である。
> ❖苦情を言われた場合は謝罪で答える。
> 　A：あの、すみません、静かにしていただけませんか。
> 　B：×いいですよ　○すみません・すみませんでした。

練習　次の状況で相手に苦情を言ってみましょう。
(1) 店で買ったばかりのラジカセが壊れていて使えない。
(2) 先生の話が速すぎて聞き取れない。
(3) 喫茶店で隣の席の人が携帯電話で話をしている。
(4) 禁煙の電車で隣の人がたばこを吸い始めた。
(5) 友達が先週貸した本を返してくれない。

☕ちょっと一息 ⑥

「ご遠慮ください」

　断るときに「遠慮します」などと言うことがありますが、「ご遠慮ください」というのはどういう意味ですか。「携帯電話はご遠慮ください」と言われたら、少しは使ってもいいのでしょうか。

　電車の中で「携帯電話のご使用はご遠慮ください」というアナウンスを聞くことがあります。これは「使用するな」という禁止の表現を、丁寧に、また婉曲的に言っていることばです。「おたばこはご遠慮ください」「無理な運動はお控えください」「たばこの吸いすぎに注意しましょう」なども禁止を表す間接的な表現です。

2. 助言・忠告

(1) 助言を求める

問1 {　　}の中のどれがいいですか。

(1) すみません、田中さん、時間が{あります・あるんです}か？
　　ちょっと相談したいことが{あります・あるんです}が。
(2) 山田さん、ちょっと{相談します・相談したいです・相談したいんです}が。
(3) 実は、友達の{ために・ことで}ちょっと{困っています・困っているんです}。
(4) 急に頼まれてしまって。{それで・だから}、どう{したら・すると}いいでしょうか。

問2 不適切なところを直してください。

(1) ちょっと熱がありますから、どの薬はいいですか。
(2) インターネットを始めたいんですから、何を買いますか。
(3) 日本人の結婚式に招待されましたが、何を持って行きますか。
(4) 漢字の勉強をしたいんですが、どの本の方がいいですか。
(5) なかなか日本語が上手にならないから困るんですが、どうすればいいでしょうか。
(6) 敬語の勉強をしたいんですが、いい方法は何ですか。

❖ 1. 人に助言を求める言い方には次のようなものがある。
　　　例：どうすればいいでしょうか。どうしたらいいでしょうか。
　　　例：どんな本を読めばいいでしょうか。
　　　例：何か、いい方法がないでしょうか。
　2. 助言を求める前には、何が問題なのか（助言の主題）を相手に伝える。
　　　例：今度の会議のことなんですが、
　　　例：実は、今度、会社の面接試験を受けるんですが、

練習1 次の場面で、助言を求める表現を考えてください。

(1) 相談する相手…先生
　　相談の内容……日本語の辞書が買いたいので、紹介してほしい。
(2) 相談する相手…親しい友達
　　相談の内容……忙しくなってアルバイトを辞めたいので、どう言えばいいか。

(3) 相談する相手…先生

相談の内容……来年、寮を出たら、アパートを探さなければならないので、どうしたらいいか。

練習2 先輩から助言を受けましたが、まだ満足できません。例のように、もっと助言を求める表現を考えてください。

例　　私：先生からアルバイトを紹介されたんですが、断れなくて困っているんです。

　　　先輩：授業が忙しいって言ったらどうですか？

　　　私：ええ、そう言ったんですけど、でも、どうしてもって頼まれてしまって。どうしたらいいでしょうか。

(1) 私：専門の授業が難しくてよくわからないんです。黒板もよく読めなくて。

　　　先輩：一緒に授業に出ている日本人にノートを見せてくれって頼んでみたら？

(2) 私：今度、日本人の友達が結婚するんですが、お祝いに何をあげたらいいか、困っているんです。

　　　先輩：欲しいものがないか、直接聞いてみたらどう？

(3) 私：先生に、レポートの字が汚くて読みにくいって注意されちゃったんです。

　　　先輩：少し練習すれば、うまくなるよ。

(2) 助言・忠告を与える

問 不適切なところを直してください。

(1) 同僚A：どうしたの

　　　同僚B：ちょっと熱があるみたい。

　　　同僚A：早く帰ってください。

(2) 学生A：なかなか英語の発音がうまくならなくて、困っているんだよね。

　　　学生B：もっと練習すれば？

(3) 先生：今日の授業、話し方が少し速かったかなあ。

　　　学生：ええ、もう少しゆっくり話したほうがいいですよ。

(4) 夫：最近、どうも疲れやすくて。

　　　妻：もっと運動しなければなりません。

(5) 上司：さっきから頭が痛くて。

　　　部下：早く帰ったほうがいいですよ。

❖ 1. 助言・忠告を与える言い方には次のようなものがある。
　　　例：早く帰った<u>ほうがいいですよ</u>。
　　　例：うちへ帰って休ん<u>だらどうですか</u>。
　　　例：そろそろ終わりに<u>したら</u>？
　　　例：行った<u>ほうがいいかも</u>／<u>ほうがいいかもしれないよ</u>。
2. 目上の人から助言を求められても、助言を与えるのは適切ではない。その場合には、文を途中でやめたり、あるいは依頼表現を用いたり、自分の希望や意見として述べたりする。
　　　例：「あと1件、電話したいところがあるんだが、いいかな。」
　　　　　「ええ、でも、そろそろお出かけにならないと。」
　　　例：「例の書類、来週出せばいいのかな。」
　　　　　「できましたら、今週中に提出していただけますか。」
　　　例：「ちょっと速くしゃべりすぎたかなあ。」
　　　　　「いえ、ただ、もう少しゆっくり話していただけるとよくわかると思うんですが。」

練習　友人から次のように聞かれました。（　　）内を参考に助言をしてください。

(1) 友人：こんど中国人がうちに来るんだけど、何をご馳走したらいいかなぁ。
　　→（　魚料理より肉料理　）
(2) 先輩：部長に頼まれた翻訳が、来週までにできそうもないんだよね。
　　→（　早く部長に事情を話す　）
(3) 友人：国の母が急に入院してしまって、父も困っているみたいで…。
　　→（　すぐに帰国して、様子を見てくる　）
(4) 友人：あれ、これ注文した料理と違うんだけどなあ。
　　→（　料理を変えてもらうように頼む　）
(5) 友人：あれ、おつりが間違っている。
　　→（　店の人に言う　）
(6) 先輩：ビール、700円だって。外の看板には6時までは350円って書いてあるけどなあ。
　　→（　店の人に言う　）

(3) 助言・忠告を理解する

問 次は先生と学生の会話です。学生のことばには不適切なところがあります。直してください。

(1) 先生：最近、遅刻が多いね。もう少し、早く起きたほうがいいですよ。
　　学生：はい、そうします。ありがとうございます。

(2) 先生：このレポート、間違いが多かったよ。もう一度書き直す？
　　学生：いえ、いいです。

(3) 先生：レポートはワープロで書いたほうがいいかもしれないね。
　　学生：そうでしょうか…。

❖ 1. 助言・忠告を与えられたら、お礼を述べたり、理解したことを述べたり、言われたことを実行する意志を示したりして、会話を終える。
　　　例：そうですね、どうもありがとうございました。
　　　例：それはいいですね、そうします。
　　　例：わかりました、そうしてみます。
　2. 目上の人からの「助言」と見えるものには、「指示」や「依頼」であると理解したほうがいい場合がある。

練習1 次の□の人のことばは、「助言」と「指示」のどちらかを考えて、最後に返事をしてください。

(1) 後輩社員：先輩、今、報告書を書いているんですが、英語と日本語とどちらで書いたほうがいいか、ちょっと迷っているんです。
　　先輩社員：社長はアメリカ人だから、英語で書くほうがいいと思うよ。
　　後輩社員：＿＿＿＿＿＿＿＿＿＿＿＿＿＿＿＿＿＿＿＿＿＿＿。

(2) 学生：先生、来週のレポートのことなんですが、要旨のところが英語で書けなくて、日本語でもいいでしょうか。
　　先生：仕方ないね、じゃあ、今回はタイトルだけ英語も書いてくれる？
　　学生：＿＿＿＿＿＿＿＿＿＿＿＿＿＿＿＿＿＿＿＿＿＿＿。

(3) 学生：すみません、この前言われていた、奨学金の申し込みなんですが、まだ書類ができていなくて、来週、提出してもいいでしょうか。
　　事務員：そうですか、でも、一応締め切りは金曜日だから。
　　学生：＿＿＿＿＿＿＿＿＿＿＿＿＿＿＿＿＿＿＿＿＿＿＿。

(4) 学生：すみません、先生、ちょっとご相談があるんですが。今度の夏休み、アメリカの大学へ語学研修に行ってみようかと思っているんですが。

　　先生：語学研修なら、アメリカより、オーストラリアとかのほうが安くていいかもしれないよ。

　　学生：＿＿＿＿＿＿＿＿＿＿＿＿＿＿＿＿＿＿＿＿＿＿＿＿＿＿＿＿。

(5) 上司：頭が痛いなら、早く帰ったほうがいいですよ。

　　部下：＿＿＿＿＿＿＿＿＿＿＿＿＿＿＿＿＿＿＿＿＿＿＿＿＿＿＿＿。

練習2 アパートの隣の人がネコを飼いはじめて、リンさんは困っています。大学の先輩の山本さんにそのことを話すことにしました。＿＿＿に適当な語を入れてください。

リン：あ、山本さん、お久しぶりです。

山本：こんにちは。元気だった？　最近、何か困ったこと、ない？

リン：ええ、特に。あ、そうですね、あの①＿＿＿＿、アパートの隣の人の②＿＿＿＿＿。

山本：ええ。

リン：最近、ネコを③＿＿＿＿＿＿＿＿。

山本：ええー!?　ネコ？

リン：そうなんです。朝晩よく鳴いていて、ちょっとうるさくて…。こういうとき、日本では④＿＿＿＿＿＿＿＿＿。

山本：そうだなあ。まずは、大家さんに相談⑤＿＿＿＿＿＿＿＿。

リン：ええ、でも、なんか言いつけるみたいで。

山本：それもそうだね。じゃあ、隣の人に直接⑥＿＿＿＿＿＿＿？

リン：⑦＿＿＿＿＿＿＿？

山本：「ちょっとうるさいから、静かにしてもらえないか」って。

リン：会ったこともないんで、どういう人か、わからないんですよね。

山本：じゃあ、手紙を書いてポストに⑧＿＿＿＿＿＿＿？

リン：あ、そうですね。⑨＿＿＿＿＿＿＿。

山本：それでもダメだったら、大家さんに言⑩＿＿＿＿＿＿＿。

リン：そうですね。⑪＿＿＿＿＿＿＿。

3. 主張・意見

(1) 賛成意見・反対意見を述べる

問 BはAの意見に賛成していますか、反対していますか。

(1) A：参加人数はもう少し増やしたほうがいいと思うんですが。
　　B：それはそうですけど…。

(2) A：日本人はもっと積極的に話したほうがいいですよね。
　　B：本当にそうですよね。

(3) A：漢字ができないと日本語は全然わからないですよ。
　　B：たしかにねぇ。

(4) A：今度、携帯電話、買うんです。
　　B：ええっ！？　携帯電話ですか？　あんなものを買うんですか？

(5) A：来年は、テーマを決めて全員で研究してみない？
　　B：それも悪くないですけど…。

❖ 1. 相手の意見に賛成する場合、相手の意見を肯定的に評価したり、認めたり、同意見であることを表明したりする。
　　　例：それはいいですね。それはおもしろいですね。
　　　例：その通りですね。おっしゃる通りです。そうかもしれません。
　　　例：私もそう思います。私もそれがいいと思います。
2. 相手の意見に反対する場合も、全面的に反対するのではなく、1.の表現を使って相手の意見の一部を認めたり、逆接のことばで終わったり、疑問を述べたりすることによって、その後に続くはずの反対意見を言わずに、自分の立場を述べることができる。
　　　例：それは悪くないと思うんですが…。
　　　　　なかなかおもしろいとは思いますが…。
　　　例：それはそうなんですが…。
　　　　　おっしゃることはごもっともなんですが…。
　　　　　そうかもしれませんが…。
　　　例：私もそうは思うんですけど…。
　　　例：そうでしょうか…。そうなんでしょうか…。

練習1 （　　　）内の表現を使って、Aさんの意見に賛成してください。

(1) ＡＢＣＤは会社の同僚です。今、Ａさんが、Ｂさん・Ｃさん・Ｄさんに向かって、話をしています。

　　Ａ：今度、佐藤部長が、中国へ転勤なさることになりました。それで、送別会を開きたいと思うんですが、どうでしょうか。
　　Ｂ：（　それはいい　）
　　Ａ：部長はお寿司がお好きなので、ちょっと高いんですけど、寿司屋でやりたいと思うんですが、よろしいでしょうか。
　　Ｃ：（　高いが、そのほうがいい　）
　　Ａ：日時なんですが、部長の都合は来週の金曜日が一番いいそうなんですが、どうでしょうか。金曜日はみなさん、お忙しいかもしれませんが…。
　　Ｄ：（　忙しいが、金曜日でいい　）
　　Ａ：わかりました。じゃあ、みなさん、来週の金曜日、よろしくお願いします。

(2) Ａさんが、親しい友だちのＢさんと話しています。

　　Ａ：来週、うちの両親の結婚記念日なんだけど、何かお祝いをしようかなぁ。
　　Ｂ：（　したほうがいい　）
　　Ａ：プレゼントは選ぶのが難しいから、レストランの食事でもごちそうしようかと思うんだけど。
　　Ｂ：（　それはいい　）
　　Ａ：フランス料理と和食とどっちがいいかなぁ。普段あまり食べないと思うから、フランス料理のほうが喜ぶかなぁ。
　　Ｂ：（　フランス料理のほうがいい　）
　　Ａ：じゃあ、そうする。

練習2 （　　　）の内容を伝えてください。まわりに配慮(はいりょ)した表現で、相手の意見に反対してください。

(1) 大学の研究室のことをめぐって、学生達が話し合っています。Ａさんは司会をしています。

　　Ａ：次に、研究室の掃除のことなんですが、今度の土曜日と日曜日に研究室の掃除をしたいと思うんです。みなさん、協力してくれませんか。
　　Ｂ：（　忙しくて、できない　）
　　Ａ：研究室は学生も使う場所だし、先生方や助手さんだけでは、掃除まで手が回らないと思うんですよ。
　　Ｃ：（　学生の仕事ではない　）

A：学生がやらないと、いつまでも研究室は汚いままですよ。
　　　D：（　先生や、もっと他の学生とも相談したほうがいい　）
(2)　今、Aさんが、親しい友達のBさんと話しています。
　　　A：来年、会社をやめて、アメリカに語学留学しようと思うんだけど。
　　　B：ええ？　本気？
　　　A：うん。前から留学したかったんだ。英語は昔から好きだったし、将来の役に
　　　　　立つと思うし。
　　　B：（　悪くないが、日本でも英語の勉強はできる　）
　　　A：（　仕事しながらだと、なかなか勉強に集中できない　）
　　　B：（　親にもよく相談して、もう少し考えて決めたほうがいい　）
　　　A：うん、そうかなあ。わかった。もう少し、考えてみるよ。

(2) 自分の意見を述べる

問　次のBは、x・yのどちらの意味ですか。

(1)　A：これ、おいしいかな。
　　　B：おいしいんじゃない？
　　　　　→x：おいしいと思う　　y：おいしくないと思う
(2)　A：あの掲示板、間違ってないですか？
　　　B：いいんじゃないでしょうか？
　　　　　→x：正しいと思う　　y：間違っていると思う
(3)　A：あの人は学生ですか。
　　　B：学生じゃないでしょうか。
　　　　　→x：学生だ　　y：学生ではない
(4)　A：あの人は日本人ですか。
　　　B：日本人じゃないでしょう。
　　　　　→x：日本人だ　　y：日本人ではない
(5)　A：田中さんも行くかな。
　　　B：行かないんじゃないでしょうか。
　　　　　→x：行く　　y：行かない
(6)　A：これ、食べてもいいのかな。
　　　B：ダメなんじゃないでしょうか。
　　　　　→x：ダメ　　y：いい

III 待遇表現が用いられる場面

❖ 1. 自分の意見を述べる場合、意見内容だけを述べるのではなく、それが自分の意見であるということを意味する次のような表現をつける。

例：

[意見内容] ～と思います・思うんですが。
～ように思います・思うんですが。
～んじゃないかと思います・思うんですが。
～んじゃないでしょうか。
～んじゃない？

2. 自分の感情を述べる場合は、1.は使わない。
　　例：×うれしいと思います　→　○うれしいです
　　　　　　　　　　　　　　　　　○うれしく思います

練習1　（　　　）内の表現を用いて、自分の意見を述べてください。
(1)　友達：今度ゴルフを始めようと思うんだけど、難しいかなあ。
　　　私：（　そんなに難しくない　）
(2)　先輩：今度、京都に遊びに行こうと思うんだけど、どこに泊まろうかなあ。
　　　私：（　駅の近くのホテルがいい　）
(3)　上司：佐藤くんにこの仕事を頼もうと思うんだけど。
　　　私：（　佐藤さんは忙しい　）
(4)　先生：学生代表として、君にスピーチをしてもらいたいんだけど。
　　　私：（　選ばれたらうれしい　）
(5)　上司：次の会議は午前10時に始めたいと思うんだけど。
　　　私：（　午前中は会議室が取れないので、午後2時開始がいい　）

練習2　次の書きことばを自分の意見として、スピーチのような話しことばに直してください。

　最近の若者は本を読まなくなった。電車の中で漫画を読む人も少なくなったように思われる。音楽を聴く姿も以前より見かけないようである。街や電車の中で見かける若者がやっていることは、携帯電話で話したり、メールを読んだり送ったりすることばかりである。これは問題ではないか。若いうちは自分の知らないことを吸収する必要があり、本を読んだり、人と話したりすることが、そのよい刺激になる。だが、今の若者は、居心地のいい自分一人の世界から出ようとしていないのではないか。

練習3 次の話しことばを自分の意見として、報告書のような書きことばに直してください。

　このレポートではアフリカの人口増加問題を取り上げたいと思います。ここで取り上げた資料を見ますと、この問題は日本社会と深い関係があるんじゃないかと思われます。日本において、これらの国からの輸入が増加すれば、こうした国々の経済成長にも貢献できると思うんです。また、日本のODA政策も再検討すべきなんじゃないでしょうか。

(3) 評価する

問 次のことばは相手の行為や能力を肯定的に評価していますか、否定的に評価していますか。

(1) お話、大変勉強になりました。
(2) ご発表、とても興味深くうかがいました。
(3) そういう考え方もあるとは思います。
(4) そういう考え方はちょっと。
(5) さすがですねえ。
(6) もう少しかなあ。
(7) とってもいいと思うけど、もう少し考えてもらえないかな。
(8) もう日本語では何も困ることはないでしょう？

❖ 1. 相手の行動や発言をほめる場合には、それに対してよい評価を与える形容詞を用いたり、話者にとって役に立った、驚いたということを述べたりする。
　　例：いい、おもしろい、すばらしい、すごい、興味深い、よくできている、貴重な意見だ、示唆に富んだ意見だ
　　例：勉強になった、教えられるところが多かった、ありがたい助言だ、こんなに上手とは知らなかった、あんまり上手なので驚いた
2. 相手の行動や発言に不満を感じて改善を求める場合には、次のような量の少なさを表す表現が使われることが多い。
　　例：もう少しだ、ちょっと（問題だ・違う）、もう一歩
　また、相手の行動や発言を一部認める次のような表現も、この後に不満が続くものであり、低い評価を示すものである。
　　例：確かに〜かもしれないが、それも間違いではないかもしれないが、

3. 程度を表す副詞のうち、次のものは、相対的によい、あるいは予想よりはよいという表現であるため、絶対的な高い評価とは言えない。使う相手によっては注意が必要である。
　　例：だいぶ、割に、幾分(いくぶん)、比較的、相当、かなり（相対的によい）
　　例：なかなか、結構、案外（予想よりはよい）
4. 目上の人に対しては、評価する行為は避けるほうが望ましい。一般に、専門家に対して、専門の技術や知識をほめることは、逆に皮肉となることがある。
　　例：＜日本語の先生に＞先生、日本語のこと、よくご存じですね。

練習1　適切にほめているのはaとbのどちらでしょうか。

(1) ＜先輩に対して＞佐藤さん、さっきの会議でのご説明、＿＿＿＿＿＿＿＿＿＿。
　　a．とても上手でした。
　　b．とてもわかりやすかったです。

(2) ＜親しい先輩＞山川さん、この前作ってくださった料理、＿＿＿＿＿＿＿＿＿＿。
　　a．とてもおいしかったです。
　　b．意外とおいしかったです。

(3) ＜学生から先生に＞先生、昨日の講義はとても、＿＿＿＿＿＿＿＿＿＿。
　　a．よかったですよ。
　　b．勉強になりました。

(4) ＜上司から部下に＞斉藤くん、さっきの報告書、＿＿＿＿＿＿＿＿＿＿。
　　a．大変だったでしょう。
　　b．もう少し準備したかったね。

(5) ＜先生から学生に＞大橋さん、この前のレポート、＿＿＿＿＿＿＿＿＿＿。
　　a．悪くはなかったんだけどね。
　　b．あまりよく書けているので驚いたよ。

練習2　＜　　＞の内容で、不満を述べる表現を作ってみましょう。

(1) ＜先輩に、書類の字が汚くて読めなかったと不満を述べる＞
　　あなた：佐藤さん、さっきの書類ですが、＿＿＿＿＿＿＿＿＿＿。
　　佐藤：え、そう、ごめんごめん。今度はもっときれいに書くよ。

(2) ＜親しい友達に、もらったセーターが大きすぎたと不満を述べる＞
　　あなた：昨日くれたプレゼントのセーター、＿＿＿＿＿＿＿＿＿＿＿＿。
　　友達：え、Mサイズじゃ大きかった？
(3) ＜上司から部下に、発言の声が小さいと注意する＞
　　上司：斉藤くん、会議のときの声だけど、＿＿＿＿＿＿＿＿＿＿＿＿。
　　斉藤：すみません、気をつけます。
(4) ＜先生から学生に、結論部分の意味がわからないと批判する＞
　　先生：コウさん、この論文の結論部分だけど、＿＿＿＿＿＿＿＿＿＿＿＿。
　　コウ：すみません、わかりにくくて。もう一度書き直します。
(5) ＜学生から先生に、話が速いのでついていけないと不満を述べる＞
　　学生：先生、すみませんが、講義のとき、テープをとってもいいでしょうか。
　　　　　＿＿＿＿＿＿＿＿＿＿＿＿。
　　先生：ごめんごめん、もう少しゆっくり話すようにするよ。

(4) 評価に対応する

問 次のように言われたとき、どのように答えますか。あまり<u>適切でない</u>ものを一つ選んでください。

(1) 先生：最近、日本語、上手になったね。
　　a．そうなんです。ありがとうございます。
　　b．そうでしょうか。先生のおかげです。
　　c．いいえ、まだまだです。
(2) アルバイト先の人：もう少し、早く来てくれないかな。
　　a．すみません。
　　b．そうですね。
　　c．そうします。
(3) 先生：このレポート、なかなかおもしろかったよ。
　　a．どうもありがとう。
　　b．そうですか。おそれいります。
　　c．いえ、そんな、たいしたことありません。
(4) 山田（同僚）：昨日の会議での報告、すごくよかったよ。準備、大変だったでしょ。
　　a．そうかなあ、自分では全然自信がなかったんだけど。
　　b．いえいえ、山田さんが手伝ってくれたからですよ。ありがとう。
　　c．そうですね。なかなか大変でしたよ。でも、がんばりましたよ。

Ⅲ 待遇表現が用いられる場面

❖ 1. 相手にほめられたときは、それをそのまま認めるのではなく、部分的に否定することがよくある。このような行動は「謙遜(けんそん)」と呼ばれる。
　　例:「上手ですね。」「いえ、とんでもないです。まだまだです。」
　　例:「お料理、お上手ですね。」「そんなことありません。家庭料理は結構、好きなんですが、ちゃんとした和食なんか、まだ全然できないんですよ。」
2. 相手に批判されたり注意されたりしたときは、まず謝罪し、その後、必要に応じて、反論したり、弁解したりして、相手に配慮(はいりょ)する。

練習1 次のようにほめられました。謙遜(けんそん)して返事するのにふさわしいものを、下のa～fの中から1つ選んでください。

(1) 先生:このごろ日本語、だいぶうまくなってきたね。
(2) 先生:イム君は、すごくサッカーがうまいんだってね。
(3) 友達:＜写真を見ながら＞あなたのお兄さんって、ハンサムねー。
(4) 上司:先日の会議のレポート、なかなか独創的で、社長もほめていたよ。

　　a. いえ、まだまだです。
　　b. いえ、そんな、恐縮(きょうしゅく)です。
　　c. ええ!? 全然そんなことないよ。
　　d. いえ、全然上手にできませんでした。
　　e. そんな、学生ですから、勉強するのは当然です。
　　f. いえ、このごろはあまり、練習する時間がなくて。

練習2 次のように言われたとき、どのように答えますか。ふさわしい方を選んでください。

(1) 母親A:お宅のお子さん、いつ会ってもお行儀がよくて、うらやましいわ。
　　母親B:＿＿＿＿＿＿＿＿＿＿＿＿＿＿＿＿＿＿。
　　a. ええ、きちんとした性格なんですよ。
　　b. いえ、そんなことないんですよ。

(2) 先輩:リンさん、日本語上手になったね。
　　リン:＿＿＿＿＿＿＿＿＿＿。友達にはもっと上手な人がいるんですよ。
　　a. ええ、おかげさまで。
　　b. いえ、そんなことありません。

(3) 後輩：遅れて、すみません。
　　先輩：＿＿＿＿＿＿＿＿＿＿＿＿＿＿＿＿＿＿＿＿。
　　　　a．いえ、どういたしまして。
　　　　b．いえ、私も今来たところだから。

(4) 上司：この計算書、ミスが多いよ。
　　部下：＿＿＿＿＿＿＿＿＿＿＿＿＿＿＿＿＿＿＿＿。
　　　　a．どうもすみませんでした。
　　　　b．でも、時間がなかったんです。

(5) 先生：もう少し、大きい声で話してくれませんか。
　　学生：＿＿＿＿＿＿＿＿＿＿＿＿＿＿＿＿＿＿＿＿。
　　　　a．はい、わかりました。
　　　　b．はい、次は気をつけます。

(6) 上司：この報告書、ここのところがちょっとわかりにくいんだけど。
　　部下：＿＿＿＿＿＿＿＿＿＿＿＿＿＿＿＿＿＿＿＿。
　　　　a．あ、そうですか。わかりました。
　　　　b．すみません、すぐ書き直します。

(7) 上司：この書類、正確でよかったよ。もう少し、早く出してくれるとありがたいんだけどね。
　　部下：＿＿＿＿＿＿＿＿＿＿＿＿＿＿＿＿＿＿＿＿。
　　　　a．はい、次は気をつけます。
　　　　b．はい、どうもありがとうございます。

(8) 先生：君も、もう少し、漢字が書けるようになるといいんだけどね。
　　学生：＿＿＿＿＿＿＿＿＿＿＿＿＿＿＿＿＿＿＿＿。
　　　　a．すみません、もっと勉強します。
　　　　b．はい、どうもありがとうございます。

4. 許可・申し出

(1) 許可を求める

問1 明日、アルバイトを休みたいと思います。許可を求める言い方は次のどれですか。

a．明日、休みます。
b．明日、休んでもいいですか。
c．明日、休ませていただきます。
d．明日、お休みさせていただきます。

問2 不適切な箇所を直してください。
(1) ＜先輩に＞この本、借りてもよろしいか？
(2) ＜映画館で＞A：すみません、ここ、座ってもいいですか。
　　　　　　　　　B：いいです。
(3) 上司：悪いけど、来週の会議、再来週に延期してもいいかなあ。
　　部下：はい、いいですよ。

❖ 1. 許可を求める表現の基本は「〜してもいいですか。」である。相手によって、次のようなバリエーションがある。
　　例：〜させていただいてもよろしいでしょうか。
　　　　〜してもよろしいでしょうか。
　　　　〜してもいいでしょうか。　　　　　　　　より丁寧な
　　　　〜してもいいですか。　　　　　　　　　　表現
　　　　〜してもいい？
　「〜してもかまわない。」「〜しても大丈夫だ。」などもある。

2. 「~してもいいですか。」に対する応答は「はい、(しても) いいですよ。」であるが、「~してもいいですか。」という表現は「許可を求める」場合だけでなく、次のように「自分が行動を申し出る」場合にも使われる。特に目上の人が「許可を求める」表現を使った場合は、許可を求めるという意図ではないことが多いので、その場合の返答の仕方には注意が必要である。

例：客：このパンフレット、もらってもいい？
　　店員：どうぞ、お持ちください。
例：上司：ちょっと話があるんだけど、あとで電話してもいいかな？
　　部下：はい、わかりました。
例：先生：チンさん、奨学金があるんだけど、推薦してもいいかな。
　　学生：是非お願いします。

練習1 次の場面で、(　　　) の内容について相手に許可を求めてください。また、適切に会話を終了してください。

(1) ＜駅のホームで駅員に＞
　　私：(携帯電話を使いたい) ①＿＿＿＿＿＿＿＿＿＿＿＿＿＿＿＿＿＿。
　　駅員：どうぞ。車内では使えませんが、ホームではいいですよ。
　　私：②＿＿＿＿＿＿＿＿＿＿＿＿＿＿＿＿＿＿。

(2) ＜上司に＞
　　部下：(今週締め切りの報告書を来週提出したい)
　　　　　①＿＿＿＿＿＿＿＿＿＿＿＿＿＿＿＿＿＿。
　　上司：うーん、困ったなー。どうしても今週出せないの？
　　部下：すみません、部長に別の仕事を頼まれてしまいました。
　　上司：わかりました。じゃあ、来週の月曜日に忘れないでね。
　　部下：②＿＿＿＿＿＿＿＿＿＿＿＿＿＿＿＿＿＿。

(3) ＜友達に＞
　　私：(借りた本を持ってくるのを忘れたので、明日、返したい)
　　　　①＿＿＿＿＿＿＿＿＿＿＿＿＿＿＿＿＿＿。
　　友達：いいよ、全然急いでないから。来週でもいいよ。
　　私：②＿＿＿＿＿＿＿＿＿＿＿＿＿＿＿＿＿＿。

(4) ＜先生の家へ電話をする＞

　　私：山田先生はいらっしゃいますでしょうか。

　　先生の奥様：ごめんなさいね、今、留守なんですよ。

　　私：（もう一度1時間後にかけたい）①＿＿＿＿＿＿＿＿＿＿＿＿＿＿＿＿＿＿＿。

　　奥様：いいですよ。何時でもかまいませんから。

　　私：②＿＿＿＿＿＿＿＿＿＿＿＿＿＿＿＿＿＿＿。

(5) ＜大学の事務室で＞

　　私：（教室でパーティをしたい）①＿＿＿＿＿＿＿＿＿＿＿＿＿＿＿＿＿＿＿。

　　事務員：パーティですか。うーん、ちゃんと後片付けしてくれればね。

　　私：②＿＿＿＿＿＿＿＿＿＿＿＿＿＿＿＿＿＿＿。

練習2 レストランへお酒を持ち込んでもいいか許可を求めたら、次のように言われました。許可されましたか？

(1) 申し訳ありませんが。

(2) ええ、かまいませんよ。

(3) あいにくなんですけど。

(4) あの…、それはちょっと。

(5) そうですねえ。じゃあ、特別に。

(6) そうですねぇ。それは難しいですね。

(7) 今回だけなら。お得意さまですから。

(8) お控えいただければありがたいのですが。

(9) 当店では、持ち込みはご遠慮いただいております。

(2) 自分の行動を申し出る

問 次の文で不適切なところを直してください。

(1) ＜喫茶店でお客さんに＞コーヒーのおかわり、持ってきますよ。

(2) 先生、すみません、風邪を引いたので、レポートは来週出します。

(3) 部長、私がカバンを持ってあげますよ。

(4) ＜先生に＞これ、旅行のお土産です。あげましょうか。

(5) ＜司会者が＞みなさん、お集まりですので、そろそろ始めましょうよ。

❖ 1. 自分の行動を申し出る表現には、次のようなものがある。

　　例：
　　　　私が ｛ 〜しましょうか。
　　　　　　　〜します。
　　　　　　　〜させていただきます。

2. 「〜させていただきます」「〜します」は、相手が望んでいる場合には丁寧な申し出となるが、そうでない場合には、話者の一方的な宣言となるニュアンスがある。そのため、敬語が使われてはいるが、丁寧でないと感じられてしまうことがある。

　　例：　「だれかやってくれないかな」
　　　　　○「では私がやらせていただきます」

　　例：×　先生、すみませんが、明日の授業は休ませていただきます。
　　　　→○休ませていただけませんか。

その場合は、相手に許可を求める形で、自分の行動を申し出るほうがよい。

3. 授受動詞（あげる・さしあげる）は、目下の人やごく親しい人に対する場合以外は、使わないほうがよい。かわりに自分の行動を申し出る表現や相手の立場からの表現を用いる。

　　例：「これ、さしあげます。」（不適切）→「これ、どうぞ。」
　　　　　　　　　　　　　　　　　　　　　「どうぞお受け取りください。」
　　　　「これ、あげる。」（やや不適切）→「よかったら、どうぞ。」
　　　　　　　　　　　　　　　　　　　　　「これ、もらって。」
　　　　　　　　　　　　　　　　　　　　　「これ、受け取って。」

練習 次の場面で、自分の行動を申し出てください。

(1) ＜先生に：本を持つ＞
　　学生：先生、その本、重そうですね。_____。
　　先生：そう？　悪いね。じゃあ、手伝ってもらおうかな。

(2) ＜友達に：お金を貸す＞
　　友達：あのくつ、いいなあ…。
　　　私：一万円か、ちょっと高いけど、かわいいね。買ったら？
　　友達：うん、でも、今日、お金持っていないんだ。
　　　私：_____。
　　友達：え、いいの？　じゃあ明日返すから。

(3) ＜大家さんに：新しい住人を紹介する＞

大家：今度、1階の部屋が空いちゃったんだけど、いい人いないかしら。

私：そうですね、そういえば、友達が今、安いアパート探しているんですけど。
＿＿＿＿＿＿＿＿＿＿＿＿。

大家：ほんと？　是非お願いしますよ。

(4) ＜会議で：報告する＞

発表者：では、21世紀における介護保険問題について＿＿＿＿＿＿＿＿＿＿。

(5) ＜上司に＞

上司：佐藤さんのデータ集計がまだ終わらないんだけど、だれか、手伝ってくれないかな。

私：＿＿＿＿＿＿＿＿＿＿＿＿＿＿。

(6) ＜会議で：ゲストを紹介する＞

司会者：では、次に、今日お話しくださるゲストの方々を＿＿＿＿＿＿＿＿＿＿。

(7) ＜友達と：パーティーの相談をする＞

A：お酒はだれが用意する？

B：じゃあ、私、＿＿＿＿＿＿＿＿＿＿。

A：料理は、ピザを取ろうと思うんだけど、だれか、注文してくれないかな。

C：じゃあ、私、＿＿＿＿＿＿＿＿＿＿。

A：音楽はどうする？

B：坂本さんに頼んだらいいんじゃない？

C：じゃあ、私、坂本さんに電話して＿＿＿＿＿＿＿＿＿＿。

A：うん、悪いけど、お願い。

5. 感謝・おわび

(1) 感謝する

問 不適切な箇所があれば、直してください。

(1) ＜先生にレポートを見てもらって＞先生、ありがとう。
(2) ＜親しい友達にプレゼントをもらって＞わあ、ありがとう。
(3) ＜送別会で花を贈られて＞みなさん、どうも。
(4) ＜駅員さんに道を教えてもらって＞どうもすいませんでした。
(5) ＜買い物をしておつりをもらって＞どうもすいませんでした。

❖ 1. 感謝する表現には、次のようなものがある。
　　感謝：どうもありがとうございます。感謝します。
　　　　　感謝の念に耐えません。お礼申し上げます。
　　　　　おかげさまで、大変助かりました。お世話になりました。
　　謝罪：どうもすみません（どうもすいません）。申し訳ありません。
　　　　　ごめんなさい。恐縮です。恐れ入ります。悪いですね。
　　　　　これから気をつけます。ご面倒をおかけしました。
　　　　　お手数をおかけしました（お手数でした）。
　2. 感謝の場面では、「謝罪」表現もよく使われる。一般に、感謝する人は、相手に何かをしてもらったことで利益を得ている。そうした、相手の様々な労力に対する配慮を「謝罪」によって表し、それが感謝の気持ちを伝えることになる。特に目上の人から利益を得た場合にはよく使われる。
　3. 「どうも」という簡略表現は、謝罪（どうもすみません）と感謝（どうもありがとう）の両方の意味を含むことができるため、軽い感謝や謝罪の気持ちを伝える場面では、便利な表現として多用されている。

練習1 適切な表現を結んでください。

(1) わざわざ　　　　　　・　　・a．助かりました。
(2) なにかと　　　　　　・　　・b．ご連絡くださり、ありがとうございました。
(3) おかげさまで　　　　・　　・c．ご配慮いただきまして、感謝しております。
(4) 本当にありがたく　　・　　・d．存じます。

練習2 適切なものを選んでください。答えは一つとは限りません。

(1) 先生：よかったらこの本、あげますよ。2冊持っているから。
　　学生：え、よろしいんですか。{ありがとうございます・すみません・すみませんでした}。

(2) 部下：あの、ちょっと熱があるので、早退してもよろしいでしょうか。
　　上司：そうか、うーん、病気じゃ仕方ないね。いいよ。
　　部下：どうも{ありがとうございます・すみません・助かります}。

(3) 友人A：あのレポート、できた？
　　友人B：ううん、まだ。データは集まったんだけど、整理ができていなくて。
　　友人A：私、終わったから、手伝ってあげようか。
　　友人B：本当？　いいの？　{ありがとう・すいません・助かる}。

(4) 娘：お母さん、お塩とって。
　　母：はい。
　　娘：{ありがとう・すいません・助かる}。

(5) 学生：先生、この間いただいた本、読みました。とても面白かったです。
　　　　{ありがとうございました・すみません・すみませんでした}。

(6) ＜映画館で＞
　　A：あの、ここ、座ってもいいですか？
　　B：ええ、どうぞ。
　　A：{どうも・ありがとう・すみません}。

(7) ＜飛行機の中で、窓側の席から通路に出ようとしている＞
　　A：あの、ちょっと通してもらえますか？
　　B：はい。
　　A：{どうも・ありがとう・すみません}。

(8) 学生：先生、この日本語の作文、ちょっと見ていただけませんか。
　　先生：いいですよ。
　　学生：{どうも・ありがとうございます・すみません}。お願いします。

練習3 会話を完成させるのに適切なものを、下のa～fから選んでください。

(1) A：先日は、ご馳走になってしまって、すみませんでした。
　　B：いえ、こちらこそ、わざわざ来ていただいてありがとうございました。
　　A：＿＿＿＿＿＿＿＿＿＿＿＿＿＿＿＿＿＿＿＿＿。

(2) 学生：おかげさまで、試験に合格できました。どうもありがとうございました。
　　先生：よかったですね。がんばった甲斐（かい）がありましたね。
　　学生：＿＿＿＿＿＿＿＿＿＿＿＿＿＿＿＿＿＿＿＿。
(3) A：この本、どうもありがとう。すごく助かったよ。
　　B：そう？　それはよかった。レポートもちゃんと書けた？
　　A：＿＿＿＿＿＿＿＿＿＿＿＿＿＿＿＿＿＿＿＿。
　　B：また何か必要な本があったら、言ってね。いつでも貸すから。
　　A：＿＿＿＿＿＿＿＿＿＿＿＿＿＿＿＿＿＿＿＿。

　　　a．はい、がんばりました。
　　　b．うん、いつもありがとう。
　　　c．いつも申し訳ございません。
　　　d．ええ、なんとか。ほんと、助かったよ。
　　　e．本当に、楽しかったです。ありがとうございました。
　　　f．はい、おかげさまで。いろいろお世話になりました。

(2) わびる

問1 不適切なところを訂正してください。

(1) ご迷惑がかかって、すみませんでした。
(2) このたびは、先生にはいろいろ心配をかけて、申し訳ございませんでした。
(3) どうもすみませんでした。二度としないと思います。
(4) 先生、レポートが遅くなって、ごめんなさい。
(5) お借りした本、コーヒーがこぼれて、汚れました。すみませんでした。

問2 適切な表現を結んでください。

A．(1)わざわざ　　・　　　　・a．ご迷惑をおかけしてすみませんでした。
　　(2)なにかと　　・　　　　・b．来ていただいたのにすみませんでした。
　　(3)せっかく　　・　　　　・c．お越しいただいてすみませんでした。

B．(1)ご丁寧な贈り物を　　　・　　　・a．おかけして、すみませんでした。
　　(2)昨日はいろいろご心配を　・　　　・b．つきませんで、すみません。
　　(3)こちらもなにかと気が　　・　　　・c．申しまして、ご迷惑をおかけしました。
　　(4)このたびはご無理を　　　・　　　・d．賜（たまわ）り、恐縮に存じます。

Ⅲ　待遇表現が用いられる場面

> ❖謝罪する場合には、謝罪の表現とともに、普通次のように理由を一緒に述べる。理由は自分の行為をテ形で表す。
> 　例：遅刻して、すみません。
> 　例：ご迷惑をおかけして、申し訳ありませんでした。

練習　あなたはAさんです。Bさんに謝ってください。また、あなたの謝罪に、Bさんは次のように答えました。そのことばに適切に応じて、上手に会話を終わらせてください。

(1) Bはあなたのアパートの大家さんです。
　　A：先日は、家賃を支払うのが遅れてしまって、①_____。
　　B：いえ、今度からは気をつけてくださいね。
　　A：②_____。

(2) Bはあなたの親しい友人です。
　　A：あ、借りた本、持ってくるの忘れちゃった。①_____。
　　B：ええー、忘れたの？　今日返してくれるって言ったのに。
　　A：②_____。
　　B：もう、いつも忘れるんだから。
　　A：③_____。

(3) Bは書店の客です。あなたは書店の店員です。
　　B：すいません、『AUO』って雑誌、ありますか。
　　A：①_____。今、売り切れなんです。
　　B：ええっー、ないんですか？　取り寄せられますか。
　　A：雑誌の取り寄せはしていないんです。
　　B：できないんですか…。
　　A：はい、②_____。

(4) あなたは学生で、Bはあなたの先生です。
　　A：先生、すみません、先日の奨学金ですが、結局ダメでした。
　　B：そう、ダメだったの。残念だったね。
　　A：はい、先生にはせっかく推薦状(すいせんじょう)を書いていただいたのに、①_____。
　　B：いや、君のせいじゃないよ。
　　A：また機会がありましたら、よろしくお願いします。
　　B：いいんだよ。あんまりがっかりしないでね。
　　A：はい、②_____。じゃあ、失礼します。

総合演習

I　使い方について考える

1　次の会話は学生（L）と先生（T）の会話です。
　　下の問に答えてください。

L：先生、どうぞ座ってください。
T：どうもありがとう。でも「どうぞお座り
　　になってください」や「お座りください」
　　という言い方のほうが丁寧ですよ。
L：はい、わかりました。
＜数日後＞
L：先生、どうぞ推薦状を書いて、あ違った、お書きになってください。
T：？？
L：（あれ？　丁寧に言ったのにな）先生、どうぞ推薦状を①お書きください。
T：こういうときには、「②＿＿＿＿＿＿＿」という言い方がいいですよ。
L：はい（うーん、難しい）。
＜数日後＞
L：先生、疲れているようですから、③どうぞ座っていただけませんか。
T：？？（うーん、難しい……）。

　　　　　　　　　　　　（新屋映子・姫野伴子・守屋三千代『日本語教科書の落とし穴』アルクより）

＜問1＞「①お書きください」はなぜ正しくないのですか。
＜問2＞②＿＿＿＿＿にはどのような表現が入りますか。
＜問3＞「③どうぞ座っていただけませんか」はなぜ正しくないのですか。

2　次の表現はどうして失礼なのでしょうか。文の＿＿＿には適当な表現を入れ、
　　｛　　｝からは、適切なものを一つ選んでください。

総合演習

(1)「先生、ご苦労様でした！」

　目上の人が残って、自分が先に帰るときは、「①＿＿＿＿＿＿＿＿」と言いますが、目上の人が先に帰るときは、何と言うのでしょうか。「ご苦労さま」というのは、上の人が下の人を②｛ねぎらう・なぐさめる・勇気づける｝ときに使うことばですから、この場合、適切ではありません。「③＿＿＿＿＿＿＿＿」が適当でしょう。

(2)「お客さま、今の説明でわかりましたか？」

　尊重すべき相手や目上の相手にわかったかどうか尋（たず）ねるのは失礼だと感じる人が多いようです。「おわかりになりましたか」と敬語を使っても、あまり丁寧にはなりません。この場合、「ご理解いただけましたでしょうか」という言い方や、「今の説明で＿＿＿＿＿＿＿でしょうか」と自分が行なった説明の量や質を問うという言い方もあります。

(3)「ご愁傷様（しゅうしょうさま）。」

　冠婚葬祭（かんこんそうさい）のあいさつは決まった言い方があります。特に、葬儀（そうぎ）の場ではきちんとした言い方が求められます。友達に対してだからといって、上のような言い方は許されません。やはり、「ご愁傷様（しゅうしょうさま）です」「このたびは思いがけないことでご愁傷様でございます」のような言い方が社会人には求められています。このほか「お悔（く）やみ申し上げます」という言い方もあります。弔電では、「心から～」「謹（つつし）んで～」ということばをそえます。こうした①｛お悔やみ・葬儀｝のことばは、②｛故人・亡人｝の冥福（めいふく）を祈るものとして、③｛遺族・家族｝に伝えられます。

(4)「ご注文の本は再版の見込みがありません。」

　こう言われた客は、がっかりするだけでなく、むっとすることもあるでしょう。この場合、①｛お客様に申し訳ない・当方も困っている｝という店員の気持ちを表すことが期待されています。そこで使われるのが、「あいにく」です。このことばは、相手の②｛意にそえない・意にそえた｝ときや、迷惑をかけるときに用いられます。

　「渡辺は本日休んでおります」「その品物はただいま品切れです」「明日のハイキングは中止となりました」など、相手の意向にそえない場合に、「あいにく」「あいにくですが」がそえられます。

(5)「あゆみさんって、妊娠（にんしん）してますか？」

　出産をひかえた女性にはお祝いの気持ちを込めて「①＿＿＿＿＿＿＿ですか」とか「②＿＿＿＿＿＿＿ですか」という時期を尋（たず）ねるようなことばで問いかけます。

「おなかに赤ちゃんがいますか」「妊娠してますか」「出産しますか」という尋ね方は好まれません。

(6)「年をとった人でも似合いますよ。」
　「年配の方」「お年を召す」という言い方があります。「召す」は「召し上がる」だけでなく、「お気に①_____」、「風邪を②_____」、「立派なお召し物」などの表現にも使われます。

(7)「先生、明日の授業、休ませていただきます。」
　「～させていただきます」は確かに丁寧な言い方ですが、その意味は「～する」という話し手の意志表明の表現です。司会者が「それでは、これから始めさせていただきます。」と言うのはいいのですが、授業を休むときに、先生に「明日、授業を休ませていただきます。」と言うのは、結局「明日、授業を休みます。」と言っているだけですから、不十分です。「休みたいのですが、よろしいでしょうか。」「休ませて①_____」などの②｛許可・助言｝を求める言い方がふさわしい表現です。

(8)「このレポートなんだけど、ここ、だめだよ。」
　「ここ、だめだよ」「ここ、よくないよ」という表現は直接的です。親しい間柄でも、直接的な言い方がためらわれる場合は、「かもしれない」「①_____」などを加えて、婉曲に指摘することがあります。
　このほか、「まだ、お返事もらってませんよ」「代金、払ってないですよ」と相手の非を指摘するときも、親しい間柄なら、「お返事もらってない②_____」、あらたまった言い方なら「お返事いただいてないようです」「代金のほう、まだ払われてないようですが、③_____ください」などといった表現が用いられます。

(9)「昨日の事件、やっぱ、ご存じなかったですか？」
　目上の方に昨日の事件のことを知らなかったかどうか確認している表現ですが、「やっぱ」は不適切で、「①_____」が正しい表現です。敬語は主に文末の述語に表現されますが、述語だけが丁寧でも他の部分が軽々しい表現では、全体として整っておらず、適切な表現にはなりません。同様に、「けど、あたし、びっくりしちゃって、ちっとも、ごはんをいただくことができませんでした。」なども、文末とそれ以外の丁寧さのレベルが合っていません。敬語を使って丁寧に話したい場合には、「②_____

をいただくことができませんでした。」と言うほうが適切です。

3　次の＿＿＿に適切な表現を入れてください。また、{　　　}からは適切なものを一つ選んでください。

(1)　佐藤さんと山本さんはあなたの友達です。あなたは下のどちらの文を使いますか。
　　　佐藤さんが山本さんにケーキをあげたんですよ。
　　　佐藤さんが山本さんにケーキをくれたんですよ。
　佐藤さんも山本さんも友達の場合、どちらの表現も正しいのですが、①{ あげる・くれる }を使う場合には、あなたと山本さんは非常に近い関係にあるということが伝わります。次のような場合にどちらが使えるかを考えると、このことがわかるでしょう。
　　　佐藤さんが私の弟にケーキを②＿＿＿んですよ。
　では、次の場合はどうでしょうか。
　　　佐藤さんが先生にケーキを③＿＿＿んですよ。
ケーキの受け取り手が先生の場合は、④{ あげる・くれる }しか使えません。

(2)　先生に旅行のお土産を渡したいと思います。次の言い方はどうでしょうか。
　　　＜先生に向かって＞「先生、これ、旅行のお土産です。先生にあげます。」
　先生本人に面と向かって「あげる」を使うのは①{ 失礼・正しい }です。では、次の文はどうでしょうか。
　　　＜先生に向かって＞「先生、これ、旅行のお土産です。先生にさしあげます。」
　「あげる」を②{ 尊敬語・謙譲語 }にして「さしあげる」を使っても、やはりこの文はあまりよい文ではありません。なぜでしょうか。
　何かを与えるという行為は、自分が相手に利益を与えるということです。相手が自分と同等以下ならばいいのですが、目上の人に対して、「あげる」と言って、自分の意志を表明することは、「私はあなたに利益を与えるのだ」ということをわざわざ表明していることになります。このことが、③{ 押し付けがましい・遠慮した }印象を与え、失礼に聞こえてしまうのです。
　目上の方にお土産を渡すときは、「これ、旅行のお土産です。④＿＿＿＿。」などと言うのがいいでしょう。

(3) 次のような場合も同じです。
　　　＜目上の方に＞では、明日、電話をしてあげます。
　このような場合、相手が目上であっても「～してあげる、～してさしあげる」は使えません。「電話をしてあげる」が、「私があなたに利益を与える」ということを表明してしまうからです。この場合には、「では、明日、電話を_____」という表現のほうが好まれます。

(4) あなたがお土産をもらった場合、何というのがいいでしょうか。
　　　わざわざお土産を買ってきて、ありがとう。
　この言い方は少し変ですね。「わざわざお土産を買って_____、ありがとう。」が適切です。お礼を言うときとは、自分が利益や恩恵を受けたときですから、このように言うのです。

4　携帯電話をかけたときに、相手が電話の通じない場所にいる場合、次のようなメッセージが聞こえることがあります。
　　　「こちらは○○（電話会社の名前）です。A おかけになった電話は、電波の届かない場所に B おられるか、電源が入っていないため、かかりません。」
　　次の(1)～(3)の｛　　｝から、適切なものを一つ選んでください。
　　また、_____に適切な表現を入れてください。また、(4)の質問に答えてください。

(1) 下線部A「おかけになった」は①｛電話会社・電話の持ち主・電話をかけている人｝から②｛電話会社・電話の持ち主・電話をかけている人｝に対する敬意を表している。
(2) 下線部B「おられる」は①｛電話会社・電話の持ち主・電話をかけている人｝から②｛電話会社・電話の持ち主・電話をかけている人｝に対する敬意を表している。
(3) 上の文では、下線部B「おられる」の主語は_____である。
(4) 「おかけになった電話は、電波の届かない場所におられるため、かかりません」という表現の中の「おられる」は、(3)から考えると適切ではない。どのようにしたらいいだろうか。

Ⅱ 短いメッセージの使い方

1 先生から借りた本を返しに行きましたが、先生はいませんでした。そこで、メッセージを残したいと思います。XとYどちらがいいでしょうか。また、それは、なぜですか。

X

> 山本先生へ
> 　拝啓　お世話になります。先生、私は、先週の木曜日、金曜日に授業がお休みで、レポートを書かなければなりませんでしたので、大学にまいりませんでした。ですから、今日貸していただいた本を返しております。1週間遅くなりました。本当にありがとうございました。
> 　　　　　　　　　　　　　　　　　　　　　　　　　　　　　　　　　　敬具

Y

> 先生
> 　長い間、貴重な本をお借りし、ありがとうございました。先週の木曜日にお返しすべきでしたが、遅くなってしまい大変申し訳ありません。どうかよろしくお願いします。
> 　　　　　　　　　　　　　　　　　　　　　　　ピーラポーン

2 先生から次のようなメールが来ました。それに返事を書いています。X・Yどちらがいいですか。それはなぜですか。

＜先生から＞

> 　推薦状の件は直接会って話を聞きましょう。2月なら都合がつけられます。都合のいい時間帯を教えてください。

X

> 先生へ
> 　せっかく、都合をつけてくださいましたが、どうしても２月は都合がつきません。来週の授業のあと、５分で結構ですのでお時間いただけますでしょうか。勝手を言って大変申し訳ございませんが、よろしくお願いします。
> 　　　　　　　　　　　　　　　　　　　　　　　　　　ジェームズ

Y

> 先生へ
> 　２月15日～３月１日、帰省いたします。また、それまでに、レポートを３つ書かなければならないので、できれば学校に来ないようにしたいと存じます。ですから、１月下旬ならいつでもよろしいでしょう。よろしくお願いいたします。
> 　　　　　　　　　　　　　　　　　　　　　　　　　　ジェームズ

3　あなたは、アルバイトを希望し、念のため２つの会社の面接を受けたところ、２社からアルバイトの採用の通知をもらいました。１社には電話で断るのがいいのかどうか日本人の友人に尋ねたら、すぐに手紙で連絡をするのがこの場合礼儀だと聞きました。手短かな手紙を書くとしたら、X・Yどちらがいいですか。それはなぜですか。

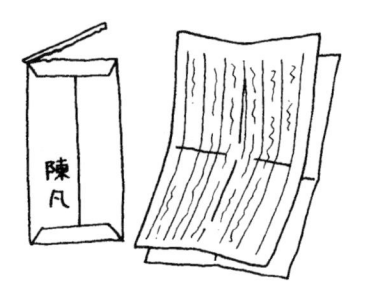

X

> 　本日採用通知をいただきました。残念ながら、他の会社からも採用通知をいただきましたので、御社はキャンセルしたいと存じます。誠に申し訳ございません。
> 　御社のますますのご発展を願っております。
> 　　　　　　　　　　　　　　　　　　　　　　　　　　陳凡

Y

> 　先日、面接の折には大変お世話になりました。本日、採用通知をいただきました。大変申し訳ないのですが、一身上の都合で、辞退させていただきたいと存じます。勝手を申し、多大なご迷惑をおかけすることになり、本当に申し訳ございません。
> 　よろしくお取りはからいのほどお願い申し上げます。
> 　　　　　　　　　　　　　　　　　　　　　　　　　　陳凡

4　あなたは、はれて就職が決まりました。日本人の友人5人がお祝いの飲み会を計画し、3週間前から店に予約を入れてくれています。しかし、前日になって、その日、別の友達の引越しの手伝いを頼まれていたのを思い出しました。あなたは、明日の飲み会に行けないことを伝えなくてはなりません。友人の一人に電話をかけたら、留守録になっていました。メッセージを残すとしたら、X、Yどちらがいいですか。それはなぜですか。

X

> もしもし、リンです。さっき思い出したんだけど、実は、明日、友達の引っ越しの手伝いをするのを頼まれてて、明日行けないの。大変申し訳ございません。

Y

> もしもし、リンです。友達の引っ越しの手伝いを頼まれているの、すっかり、忘れてて、どうしても明日行けないの。せっかく前から用意してくれてたのに、ごめんなさい。あとでみんなに連絡するけど、もし会ったら、謝ってたって言っておいて。本当にごめんなさい。

5　ようやく仕事が決まりました。仕事探しのことで相談にのってもらっていた友達からお祝いのメールをもらいました。返事を書くとしたら、XとYどちらがいいですか。

X

> メールありがとう。ミナ、いろいろアドバイスありがとう。おかげで、何とか受かって、ほっと一息。仕事始める前に、また飲みに行こうね。　　　栄華

Y

> メールありがとう。面接では練習したことばかり聞かれたし、みんな私の日本語力にびっくりしてたから、いい印象を与えたと思ってたの。本当にうれしい。また飲みに行こうね。　　　栄華

Ⅲ 実践練習（話す時の使い方）

1 次の文は、会社の上司が部下である若い社員の家にやってきて、その親と話をしているところです。＿＿＿＿に適当な語を入れてください。

今日は息子さんのことでお宅に①＿＿＿＿＿＿＿ました。あの、最近、欠勤が多いのが気になりまして。今年になって、25日も休みを②＿＿＿＿＿＿います。私どもの会社では、長期欠勤の場合はその理由を確認するようにして③＿＿＿＿＿＿が、3ヶ月で25日の休みというと、約3分の1に近い日数になります。もし、お宅の事情や何かで欠勤④＿＿＿＿＿＿のでしたら、これからは届けを出して⑤＿＿＿＿＿＿たいと思うんです。

2 次の文は、中川一政（画家）と向田邦子（作家）の対談です。（　）の中のことばを敬語にして＿＿＿＿に適切な形で入れてください。答えは一つとは限りません。

(1) 向田　先生、お酒は全然お飲みにならないんですか。
　　中川　お客があるとね、お猪口に一杯か一杯半ぐらい飲むの。
　　向田　お酒を①＿＿（飲む）＿＿と、どうなるんですか。
　　中川　機嫌良くなるの。口が軽くなるね。
　　向田　それ以上②＿＿（飲む）＿＿と？
　　中川　ぶっ倒れちゃう。ブルブル震えてね、寒気がしてきて、人事不省になっちゃうの。
　　向田　先生の絵を③＿＿（見て）＿＿いると、とってもお酒が強そうな感じがしますけどね。

(2) 向田　今、何を描いて①＿＿（いる）＿＿んですか。駒ヶ岳ですか、やっぱり。
　　中川　駒ヶ岳はね、天気が悪くて行けないの。
　　向田　ああそうですか。風が強そうですね。
　　中川　強いですよ。＜後略＞
　　向田　でも、ほかに山はあるでしょうに、どうして駒ヶ岳にそんなに執着②＿＿（する）＿＿んですか。

(3) 向田　腹がすわって、絵ひと筋でいくぞと①＿＿（思った）＿＿のは、
　　　　　②＿＿（いくつ）＿＿ぐらいのときですか。
　　中川　やっぱり二七、八じゃないかな。
　　向田　それからは、途中でやめようと③＿＿（思わなかった）＿＿か。
　　中川　それは何度もある。〈後略〉

（向田邦子『向田邦子全対談』文春文庫　刊）

3　次の文は、江國 滋（随筆家）と向田邦子（作家）の対談です。（　　）の中のことばを敬語にして＿＿に適切な形で入れてください。答えは一つとは限りません。

(1) 江國　向田さん、酒は何を召し上がりますか。
　　向田　そうですね、ビールを……。
　　江國　日本酒は？
　　向田　＿＿（飲む）＿＿んですけど、貧乏性なんですね、家では飲まないんです。

(2) 江國　はじめて『父の詫び状』を読んだときに、あんまりうまいんで唸りました。
　　向田　あれが、生まれてはじめて書いたエッセイなんです。
　　江國　そうだそうですね。しかも、あれ、左手で①＿＿（書いた）＿＿んですって。
　　向田　ええ、あの本を書きましたときは病後②＿＿（で）＿＿して、それも癌になってしまいまして、私としては目の前まっ暗でした。
　　江國　乳癌、でしたね。その後、よろしいんですか。
　　向田　はい、今のところは別にきざしもありませんで。最初の一年間はビクビクして③＿＿（い）＿＿ましたけど、四年過ぎて、だんだん飼い慣らすっていう感じが④＿＿（しています）＿＿。
　　江國　手術のあと、右手がきかなくなったんですか。
　　向田　もう何とも⑤＿＿（ない）＿＿けど、ちょっとの間右手がどうもだめでして、それで左手で書きました。

（向田邦子『向田邦子全対談』文春文庫　刊）

4 あなたは人事部社員の山下さんです。夜遅く、急な用件が生じて、人事部長の佐藤さんの家に電話をすることになりました。部長の家に電話をするのは初めてです。{　}の中で最も適切な表現を選んでください。

「もしもし、佐藤部長のお宅 ①{ でしょう・と申します・でいらっしゃいます }か。私、人事部の山下 ②{ でしょう・と申します・でいらっしゃいます }。部長にはいつも大変お世話 ③{ をしております・をかけております・になっております }。遅い時間に、④{ 失礼いたしました・ごめんください・申し訳ございません }。実は、取引先から急な連絡が ⑤{ いたしまして・ございまして・いらっしゃいまして }、ご自宅までお電話 ⑥{ なさいました・させていただきました・いたさせていただきました }。⑦{ 恐れ入りますが・悪いのですが・失礼ですが }佐藤部長、⑧{ お願いします・お願いできませんでしょうか・お願いいたしましょうか }。」

5 通信販売会社がお客様の意見を聞くために、アンケート調査をしようとしています。次は電話でアンケートを依頼したものの一部分です。{　}の中のどちらがいいか、一つ選んでください。また、【　】には、与えられたことばを参考にして、適切な表現を補ってください。

「もしもし、山本商事の佐藤様で①{ ございますか・いらっしゃいますか }」
「はい」
「こちらは、通信販売会社オフィス・デリバリー・ストアと申します。いつも大変②【世話になる】」
「いえ、こちらこそ」
「本日は、お願いが③【あって】、お電話を④【している】が、⑤{ 私ども・うち }では、お客様のご意見ご要望を⑥【聞いて】、サービス改善を進めたいと考えて⑦【いる】。それで、お忙しいところ、⑧【恐縮(きょうしゅく)】が、先日⑨【送った】カタログの品揃(ぞろ)えなどにつきまして、簡単な質問に⑩【答えてほしい】のですが、ご協力を⑪【お願いできないか】。お時間は10分ほど⑫【だ】が…」
「そうですか、はい、いいですよ」

総合演習

6 次の会話は、親しい友達の家に友達が、また、会社の上司の家に部下が訪問する会話です。{ }の中で適切な表現を選んでください。適切な表現は一つとは限りません。

(1) 玄関での会話
＜親しい友達の家＞
客：こんにちは。
友達：いらっしゃい。①{ どうぞ・来て・上がって }。
客：じゃあ、おじゃまします。

＜上司の家＞
木下（部下）：②{ こんにちは・ごめんください・初めまして }。
上司の奥様：はい。＜と、奥様が出てくる＞
木下（部下）：あの、私、会社でお世話になっております木下と申します。本日はお招き③{ されまして・くださいまして・にあずかりまして }。
奥様：あ、木下さんですね。いらっしゃいませ。お待ち④{ しました・しておりました・されておりました }。どうぞ⑤{ お上がりなさってください・お上がりください・上がって }。
木下：はい、では⑥{ おじゃまいたします・失礼いたします・ごめんなさいませ }。

(2) 訪問を終えて、帰るときの会話
＜親しい友達の家＞
客：遅くなったから、そろそろ帰るよ。
友達：まだいいじゃない。ゆっくりしていってよ。
客：うん、でも、もう①{ 帰りたいから・帰らなくちゃ・帰ったほうがいいよ }。
友達：そう？ じゃあ、また来てよね。
客：うん、ありがとう。じゃあ②{ またね・失礼したね・じゃまをしたね }。

＜上司の家＞
客（部下）：あ、もう、こんな時間になってしまいました。そろそろ③{ おいとまします・お帰りします・失礼します }。
上司：まだいいじゃない。
客：ええ、でも、④{ 帰りたいと存じます・そうもしていられません・帰ったほうがいいと思います }ので。

上司の奥様：そうですか。じゃあ、是非また⑤{ おいで・いらして・参って }ください
　　　　　　ね。
客：はい、ありがとうございます。では⑥{ お疲れ様でした・失礼いたします・おじゃ
　　まいたしました }。

Ⅳ　実践練習（書く時の使い方）

1　次の手紙は、上司から旅の土産に写真集をもらったお礼の手紙です。＿＿＿の部分に（　　）の語を使って、適切な敬語を入れてください。適切な表現は一つとは限りません。

　前略
　　無事①＿（帰国）＿とのこと、何よりと②＿（思う）＿。
　　さて、お土産に③＿（送る）＿写真集、どうもありがとうございました。早速
④＿（見る）＿ました。とてもすばらしい景色で、感動いたしました。次回、あちらに
⑤＿（行く）＿ときは、是非、私も⑥＿（誘う）＿くださいませ。
　　今度、また私の家にもゆっくり遊びに⑦＿（来る）＿ください。楽しみに⑧＿（する）＿。
　　これからますます暑くなりそうでございます。どうぞお体を大切に⑨＿（する）＿。
　　まずはお礼まで。

　　　　　　　　　　　　　　　　　　　　　　　　　　　　　　　　　　草々
　　　　　　　　　　　　　　　　　　　　　　　8月1日
　　　　　　　　　　　　　　　　　　　　　　　　　　　　　　　　　　大島幸一

2　次の手紙は、重要な約束を破ったことをお詫びする手紙の一部です。＿＿＿の部分に（　　）の語を使って、適切な敬語を入れてください。適切な表現は一つとは限りません。

　　本日は、大変①＿（申し訳）＿。
　　急にやむを得ない事情が生じまして、急いで②＿（電話する）＿のですが、もうお家を③＿（出る）＿ようで、ご連絡がつきませんでした。ご迷惑をおかけしましたこと、どうか④＿（許す）＿。
　　近日中に、改めて、そちらへ⑤＿（行く）＿たいと思って⑥＿（いる）＿ので、ご都合を⑦＿（聞く）＿くださいませんでしょうか。来週の日曜日の晩に、またお電話を
⑧＿（する）＿ので、どうぞよろしくお願い申し上げます。

★3 通信販売会社がお客様の意見を聞くためにアンケート調査をしようとしています。次は手紙で、アンケートを依頼したものの一部分です。{　　}の中のどちらがいいか、一つ選んでください。また、【　　】には、与えられたことばを参考にして、適切な表現を補ってください。

①{弊社(へいしゃ)・御社(おんしゃ)}では、お客様のご意見、ご要望をもとに、サービスの改善、強化に②【努める】。③{そのことですが・つきましては}、今後さらに④【満足】ため、今回のカタログの品揃えやサービス内容等につきまして、ご意見、ご要望を⑤【聞く】ください。今後に向けての貴重な参考資料と⑥【する】ので、⑦{ご協力のほど・ご協力のこと}、よろしくお願い申し上げます。なお、アンケートに⑧【答える】中から抽選で30名様に⑨{御品・粗品}を⑩【あげる】。抽選結果の発表は、商品の発送をもって⑪【かえる】。

★4 次の文は、通信販売会社の利用方法の注意書きです。【　　】の部分を適切な表現に直してください。

(1) ご注文方法
　電話でのご注文は大変混雑①【する】ので、ファクシミリでのご注文を②【勧める】。ファクシミリでのご注文は、注文用紙に必要事項を③【記入】の上、下記まで④【送る】ください。郵送でのご注文は、同封の注文はがきを⑤【利用】ください。

(2) 返品・交換
　①【届けた】商品は到着後、すぐに②【確認】の上、返品・交換の際は納品後8日間以内に③【返送】ください。
　お客様のご都合による返品・交換の場合、送料を④【負担してもらう】。
　当社の都合による返品・交換の場合は、送料は当社が⑤【負担する】。

(3) 商品のお届け
　商品の発送はご注文受け付け後、2週間以内が原則ですが、商品がそろい次第、すみやかに【発送する】。

(4) お客様へのお願いとお断り
　季節商品・人気商品は品切れになる場合が①【ある】ので、あらかじめ②【容赦】。
　カタログ掲載の商品価格はすべて「消費税抜き価格」で表示して③【いる】ので、消費税が別途加算されます。

★5 次の文は、ある弁当会社が新聞に掲載したお詫びの広告です。{　　}内で、適切なものを一つ選んでください。また、下線部には適切な表現を入れてください。

　このたび、弊社製造のお弁当「とんかつ弁当」に添えられていた漬物に、甘味料として食品衛生法で許可されていない添加物サイクラミン酸が含まれていることが①{ 判明されました・判明いたしました・判明申し上げました }。
　使用量は極めて微量のため、健康への影響はないものと思われます。
　②{ こちらのお品でございますが・当該商品につきましては }、判明した時点より直ちに、他の漬物に変更③{ なさっております・していただいております・させていただいております }。
　お客様、お取引先様、④{ ならびに・それから }関係者の皆様には多大なご迷惑を⑤{ おかけし・かけまして・おかけになり }、誠に申し訳なく、深く⑥＿＿＿＿＿＿。
　弊社といたしましては、お客様に安心して⑦{ いただいてもらう・お召し上がりいただく・召し上がってくださる }ため、今後よりいっそうの品質管理体制の強化に努め、このような事態が再び発生することのないよう、
⑧{ 頑張るつもりでございます・万全を尽くす所存でございます }。
　何卒ご理解を賜りますよう、⑨＿＿＿＿＿＿。

★6 『源氏物語』（紫式部原作）の一節です。下線の敬語に注意して、下の問いに答えてください。

　前世からの宿縁が格別深く①あられたものであろう、この世のものとも思われぬほど美しい男御子をこの更衣は②お生みになった。帝はどんな様子かと日柄の立つのを待ちかねて、急いで召し寄せて③ご覧になると、むつきのあいだながら、世にも珍しい④ご器量である。＜中略＞一の御子は右大臣の女御が⑤お生みになった方で、外戚の権威が強く、従って「これこそ間違いなく東宮に⑥立たれる御方」と世間でも高く見て大切に⑦お仕え申しているが、この新しい御子の輝くばかりのお美しさには較ぶべくもなかったので、帝は一の御子を表向き一通り⑧大切になさるけれども、この若宮は格別ご秘蔵になさって、⑨ご自身でお世話なさることもひとかたでない。

（円地文子訳『源氏物語（巻一）』「桐壺」新潮文庫より）

＜問＞文中の下線部の敬語は、それぞれ、次の中のどの登場人物に対して使われていますか。

　a．帝
　b．更衣
　c．若宮（更衣と帝の子）
　d．右大臣の女御
　e．一の御子（右大臣の女御と帝の子）

参考文献

本書を執筆するに当たり、以下の文献を参考にしました。

待遇表現

井出祥子他（1986）『日本人とアメリカ人の敬語行動』南雲堂
井上史雄（1999）『敬語は怖くない』講談社現代新書
蒲谷宏・川口義一・坂本恵（1998）『敬語表現』大修館書店
菊地康人（1996）『敬語再入門』丸善ライブラリー
寺尾留美（1996）「ほめ言葉への返答スタイル」『日本語学』15-5
野田尚史（1998）「「ていねいさ」からみた文章・談話の構造」『国語学』194　国語学会

待遇表現指導

小川誉子美（2003）「待遇表現指導に関する試論―上級者用シラバスの構築に向けて」
　　『広島大学留学生センター紀要』13号
窪田富雄（1990，1992）『敬語教育の基本問題』（上）（下）　国立国語研究所
新屋映子・姫野伴子・守屋三千代（1999）『日本語教科書の落とし穴』アルク
鈴木睦（1997）「日本語教育における丁寧体と普通体」『視点と言語行動』くろしお出版
堀口純子（1984）「授受表現にかかわる誤りの分析」『日本語教育』52

日本語教科書

アメリカ・カナダ大学連合日本研究センター編（1991）『Formal expressions for Japanese
　　interaction 待遇表現　教師用マニュアル』ジャパンタイムズ
名古屋大学日本語教育研究グループ編（1988，1990）『現代日本語コース中級Ⅰ、Ⅱ』
　　名古屋大学出版会

著者紹介

小川誉子美　横浜国立大学　国際戦略推進機構　教授
前田直子　　学習院大学　文学部　教授

イラストレーション

向井直子

日本語文法演習
敬語を中心とした対人関係の表現―待遇表現―

2003年5月20日　初版第1刷発行
2024年6月12日　第18刷発行

著　者　小川誉子美　前田直子
発行者　藤嵜政子
発　行　株式会社　スリーエーネットワーク
　　　　〒102-0083　東京都千代田区麹町3丁目4番
　　　　　　　　　　トラスティ麹町ビル2F
　　　　電話　営業　03（5275）2722
　　　　　　　編集　03（5275）2725
　　　　https://www.3anet.co.jp/
印　刷　松澤印刷株式会社

ISBN978-4-88319-272-4 C0081
落丁・乱丁本はお取り替えいたします。
本書の全部または一部を無断で複写複製（コピー）することは著作権法上での例外を除き、禁じられています。

日本語文法演習
敬語を中心とした対人関係の表現－待遇表現－

解答

敬語を中心とした対人関係の表現－待遇表現－

ウォームアップ p.3

A．(1)いただきますか　(2)うかがって　(3)おりますか　(4)金、おバッグ
(5)いらっしゃい、ご覧なさい

B．例
(1)説明が速すぎるんですが。もう少しゆっくりしなければなりませんね。
　→ちょっとお話がよく聞き取れないんですが。もう少しゆっくりお願いできますでしょうか。
(2)お会いになりますか。
　→会って（やって）いただけますか。
(3)ご苦労様でした。また、明日会いましょう。さようなら。
　→どうもありがとうございました。失礼します。
(4)金曜日必着でお書きください。
　→急で申し訳ないのですが、金曜日までにお願いできますでしょうか。
(5)今日は気分が悪いので行きません。
　→申し訳ないのですが、気分が悪くて、急に行けなくなりました。間際になってしまい本当に申し訳ありません。
(6)先生の父をうちまで車で送ってあげましょうか。電車で帰りたいですか。
　→先生のお父さんをお宅まで、車でお送りしましょうか。あるいは電車でお帰りになりますか。

C．省略

I　待遇表現と敬語

1. 待遇表現とは　p.6

問1　(1)～(3)伝え方

伝え方

問2　(1)②－②　(2)①－③　(3)③－①

問3　(1)③　(2)②　(3)①

問4　(1)②－①　(2)①－②

2. 敬語について

p. 10

(1)機能

問1 (1)山田さん　(2)Bさん

> 聞き手

問2 (1)(2)あらたまった印象

> 品位

問3 同窓生だとわかり、親近感をいだいたから

問4 (1)(2)例：慇懃無礼（いんぎんぶれい）　威圧的（いあつ）

> 下位　威圧する

> 敬意　品位

p. 12　(2)種類

> 敬意を示す相手

> 相手に向けられた話し手の行為

p. 13　(3)使用の原則

問1 (1)③　(2)④　(3)②　(4)③、④　(5)③

問2 (1)生徒：おじいさん→祖父　暮らしていらっしゃいます→暮らしております

(2)社員：山下部長→（部長の）山下

　　　出ていらっしゃいます→出ております

　　　お電話をなさるよう→お電話をさしあげるよう

> 目上のことであっても尊敬語は使わない

練習 (1)まいります　(2)おじゃましています　(3)言っておりました

(4)失礼しました　(5)先生　ご連絡していただきましょうか

II 様々な表現と使い方

p.18 ウォームアップ

A．(1) d　(2) d　(3) d

B．(1)お子様　お一人　ご入場になれません
　　(2)ご紹介いたします　お嬢さんとご主人
　　(3)まいりました　ご無沙汰しております　お元気でいらっしゃいます
　　(4)お待ちの方　お配りしております　お待ちください
　　(5)お目にかかりたい　会っていただけます

C．(1)貸した→貸してくれた
　　(2)教えて→教えてくれて
　　(3)紹介して→紹介してくれて

D．(1)と(2)

p.20　1．敬語表現

(1)動詞の形と使い方

① （ら）れる

問1　(1)招待した→招待された　来なかった→来られなかった
　　　(2)書いた→書かれた　通した→通されました
　　　(3)待った→待たれた

練習　②③④⑧

p.21　②お・ご～になる

問1-1　(1) a　(2) a

問1-2　(1)お使いになれません　(2)ご入場になれません　(3)ご加入になれます

練習1　(1)予約できます→ご予約になれます
　　　　(2)利用できます→ご利用になれません
　　　　(3)読めません→お読みになれません
　　　　(4)搭乗できません→ご搭乗になれません
　　　　(5)試せます→お試しになれます

問2　(1)これから行く　(2)来た　待っています　(3)もう済んだ

練習2　(1)お見えです　(2)お待ちの　お越しください

　　　　　(3)ご欠席です　ご出席です
　　　　　(4)お持ちでない　お取りください
　　　　　(5)お急ぎの　お探しの　お申し付けください

p.23　③お・ご～する
　問1　(1)見せます→お見せします　(2)届けます→お届けします
　　　　(3)持って行きます→お持ちします
　　　　(4)連絡します→ご連絡します　(5)案内します→ご案内します
　問2　(1)b　(2)a　(3)b

> 持つ　主語の範囲にとどまる

　練習　(1)(2)

p.24　④特別な形
　問

	尊敬語	謙譲語
行く・来る	（お見えになる） （お越しになる）	（うかがう）
いる	（いらっしゃる）など	（おる）
する	（なさる）	（いたす）
言う	（おっしゃる）	（申し上げる）
聞く		（うかがう）
見る	（ご覧になる）	（拝見する）
見せる		（ご覧に入れる） （お目にかける）
食べる・飲む	（召し上がる）	
思う		（存じる）
知る	（ご存知だ）	（存じ上げる）
着る・はく	（お召しになる）	
尋ねる		（うかがう）
会う		（お目にかかる）
借りる		（拝借する）

　練習1　(1)召し上がりますか　なさいますか　(2)お目にかかりたい　(3)お尋ね
　　　　　(4)お考えですか　(5)いらっしゃって（おいで、お越し）

練習2　(1)先に見　ご覧になりますか　(2)聞い　聞いてもらえますか

p.26　⑤敬語化する部分

問1　両方変えても、片方だけ変えてもよい

練習1　(1)言った→おっしゃった　(2)作成する→作成される
(3)郵送する→郵送された

問2　(1)夏木さん　(2)大島さん　(3)夏木さん　(4)大島さん

練習2-1　(1)①金沢課長が戸田課長を本店に案内された。
②金沢課長が戸田課長を本店にご案内した。
(2)①先輩が店長に新しいＯＡ機器を紹介された。
②先輩が店長に新しいＯＡ機器をご紹介した。

練習2-2　(1)書いた→書かれた　(2)聞いた→お尋ねした　(3)招待した→ご招待した
(4)知らせた→お知らせした

p.28　(2)あらたまった表現

★①丁重語

問1　(1)～(3)文中のだれかを高める言い方ではない

	丁重語
(ところに) います	(おります)
行きます・来ます	(まいります)
言います	(申します)
知っています	(存じます)
食べます・飲みます	(いただきます)
します	(いたします)

練習1　(1)来ます→まいります　(2)いました→おりました
(3)きました→まいりました　(4)きました→まいりました
(5)飲んでいません→いただいておりません

問2　(1)申します　(2)申し上げます　(3)まいりました　(4)どちらでもよい

②〇　×　③〇　〇　駅名

練習2　(1)まいります　(2)まいりました　(3)申し上げた　(4)申します
(5)存じ上げている　(6)存じません

解　答

p. 30 ★② （さ）せていただく
- 問　(1)(2)
- 練習　(1)b　(2)b

p. 31 ★③ ございます
- 問1　(1)でございます　(2)でいらっしゃいます
- 練習1　(1)でございます　(2)でございます　(3)でいらっしゃいます
  (4)でございます　(5)でいらっしゃった　でございます
- 問2　(1)ございます　(2)ございません　(3)おありです
- 練習2　(1)ございます　(2)ございません　(3)おありですか／ございますか
  (4)おありですか　(5)ございます　ございます

p. 32 ④ 丁寧化できる従属節
- 問　(1)

×	○	○	○

- 練習　(5)続けるか

p. 33 ⑤ 接辞
- 問1-1　知らせ、年、ところ、招き、姉さん、時間、暇、勉強、食事、料理、忙しい、上手、気の毒

  お　ご

- 問1-2　(1)ドリンク、タクシー、メール
  (2)会館、信号、駅、道路、橋

  カタカナ語　公共物など

- 問1-3　(1)① a　② b　(2)① b　② a　(3)① b　② a　(4)① b　② b
- 問1-4　(1)ワイン　(2)犬　猫　(3)お茶　お菓子　(4)お客さん　(5)お金

  酒　金

- 練習1　(1)お体　お大切　(2)ごゆっくり　(3)ご結婚　お幸せに
  (4)かばん　はんこ　(5)おタバコ　ご遠慮　携帯電話　ご協力
- 問2　(1)〜(4)幼児

　　　　　　　　幼児

練習2　例
　　　　(1)お兄ちゃんにそのご本見せて（ちょうだい）。
　　　　(2)ちょっとお目目開けてくれる。
　　　　(3)お手手もあんよもちっちゃいね。
　　　　(4)お姉さんにお水かけないで。
　　　　(5)お外を見てごらん。
問3　　品→粗品　茶→粗茶　会社→弊社／小社　うち→拙宅
練習3　②⑤

p.37　⑥人を表す表現
　1. 方・者、複数の表現
　問　　　(1)者　方　(2)来賓の方々

　　　　　　話し手自身や身内　聞き手や第三者

　練習　　(1)お母さん方　(2)ボランティアの方々　(3)サポーターたち
　　　　　(4)学生たち　家族ら
　2. 親族呼称
　問　　　(1)お母さん→母　(2)父→お父さん　(3)子ども→お子さん
　練習　　(1)せがれ→お子さん　(2)娘→お嬢さん（娘さん）　(3)孫→お孫さん
　3. 敬称（～さん）
　問1　　(1)～(3)不適切
　問2　　(1)デパート　病院　交番　警察　(2)中国人　エンジニア　部下
　　　　　(3)「（お隣さんは）先生ですか」

解答

p.39 ★⑦あらたまった形（動詞・形容詞以外）

問 (1)ほど　(2)明日　明後日　(3)それでは　のちほど

	あらたまった形		あらたまった形
きょう	（本日）	さっき	（先ほど）
あした	（明日）	少し・ちょっと（時間）	（少々）
あさって	（明後日）	少し（量）	（わずか）
きのう	（昨日）	これ・ここ	（こちら）
おととい	（一昨日）	（いつも）	平素
このあいだ	（先日）	（本当に）	誠に
あとで	（のちほど）	（そして）	ならびに
今・すぐ	（ただいま）	（つもり）	所存
もうすぐ	（まもなく）		

練習1 (1)こちら　先日　先生方　(2)本日　(3)さきほど　まもなく　少々
(4)わずか

練習2 先生方　ならびに　来賓の方々　本日は　先ほどの　所存

練習3 平素は　このたび　消費者の方々　誠に　弊社

2. 授受表現

p.41 (1)形と使い方

問1 (1)くれる→与える　(2)もらった→受けた　(3)あげて→渡して
(4)あげた→渡した　もらった→受け取った

練習1 (1)気持ちをもらう→気持ちになる　(2)教育をもらう→教育を受ける
(3)便宜をあげた→便宜を供与した
(4)受付にくれてから→受付に出してから
(5)影響をくれた→影響を与えた

問2 (1)手伝えば→手伝ってくれれば　(2)読んだので→読んでくださったので
(3)助けてあげた→助けた
(4)オルガンを贈ってもらうことになり→オルガンが贈られることになり
　目録を渡していただきました→目録が渡されました

練習2 (1)貸した→貸してくれた　(2)教えられた→教えてもらったので
(3)友達に見せられて→友達が見せてくれて／友達に見せてもらって

(4)助ける→助けてくれる　(5)わからなかった→わかってくれなかった
(6)披露してあげている→披露している
(7)中学生に110番通報してもらい→中学生の110番通報により

p. 43　(2)様々な用法
　　①人以外から受けた恩恵表現
　　問　　(1)〜(4)人ではない
　　練習　(1)考えさせる→考えさせてくれる　(2)大きくなって→大きくなってくれて
　　　　　　(3)降らないかな→降ってくれないかな
　　　　　　(4)すぐ来たので→すぐ来てくれたので
　　　　　　(5)早く終わったので→早く終わってくれたので

p. 43　②恩恵を表さない表現
　　問1　　(1)〜(4)聞き手
　　練習1-1　(1)着てもらい　(2)やめていただく　(3)退室していただきます
　　　　　　　(4)負担していただきます
　　練習1-2　(1)辞めさせていただきます　(2)帰らせていただきます
　　問2　　(1)(2)受けていない
　　練習2　(1)言ってくれた　(2)やってくれた
　　問3　　(1)〜(3)利益をもたらそうとしていない
　　練習3　(1)勝ってやる　(2)着いてやる　(3)辞めてやる　(4)死んでやる

p. 46　★③「(ウチの者)に〜てやってくれる」
　　問　　(1)
　　練習　例
　　　　　　(1)やってくれない　(2)やってくれませんか
　　　　　　(3)やってもらえませんか

p. 47　## 3. 丁寧体と普通体の使い分け

(1)書きことばの場合
①読み手の有無
　　問　　(1)日記文　(2)手紙文

p.47 ★②丁寧体と普通体のまざった文

問 (1)心の中で思ったことであるため
(2)列挙された事柄であるため

練習 (1)気分になる　あるだろう
(2)叫びだ　どうだろうか
(3)ある　迎えてくれる　来てほしい

p.48　(2)話しことばの場合

①聞き手の有無・数

問 ①②⑧

練習 (1)①②⑥　(2)①③⑤

p.49 ★②丁寧体と普通体のまざった文

問 親しみ　自分の感想を述べる

> 丁寧体が維持される　普通体が使われる

練習 (1)①②⑤⑥　(2)③④⑤⑥

Ⅲ 待遇表現が用いられる場面

p.54　**ウォームアップ**

A．(1)くださいませんか
(2)ごめん
(3)帰ったほうがいいんじゃない？
(4)いただいてもよろしいでしょうか
(5)ありがとうございました
(6)大変勉強になりました

B．(1)B　(2)A　(3)B　(4)A　(5)B

p.56 1. 依頼・誘いと承諾

(1)依頼する

問1　(1) b　(2) b　(3) b　(4) a

> は　に　は　に

練習1　例

(1)ちょっと貸してね。／ちょっと貸してくれない？／
貸してもらってもいい？／借りてもいい？

(2)貸してもらえませんか。／貸してもらえないでしょうか。／
貸していただけないでしょうか。／貸していただけませんでしょうか。／
お借りしてもよろしいでしょうか。

(3)貸していただけないでしょうか。／貸していただけませんでしょうか。／
お借りしてもよろしいでしょうか。

(4)〈理由・状況を説明した上で〉大変申し訳ありませんが、明日お返ししますので、一万円、貸してもらえないでしょうか／貸していただけないでしょうか／貸していただけませんでしょうか／お借りできないでしょうか。

問2　例

(1)①すみません　②おねがいします（ください）

(2)①先生、すみません／ちょっといい（よろしい）ですか／質問があるんですが　②いただけませんか

(3)①すみません、ちょっとお願いがあるのですが／大変申し訳ないのですが　②ませていただけないでしょうか／ませていただいてもよろしいでしょうか／ませていただきたいんですが

練習2　例

(1)よびかけ：あの、すみません
　事情説明：日本語で自信のないところがいくつかあるんですが
　依頼：今、さっと目を通していただけないでしょうか

(2)よびかけ：あ、今、いい（かな）
　依頼：この漢字、なんて読むの（か教えてくれない？）

(3)よびかけ：ちょっとおうかがいしたいんですが
　依頼の確認：日曜日の開館時間を知りたいんですけど
　依頼：教えてもらえますか、教えていただけますか

(4)よびかけ：あの、先生、ちょっとよろしいでしょうか
　　依頼の確認：実はお願いしたいことがあるんですが
　　事情説明：奨学金の申し込みに推薦状が必要になりまして
　　依頼：お忙しいところ申し訳ないのですが、書いていただけませんでしょうか

p.58　(2)依頼を承諾する

問　(1)a　(2)b　(3)b

> はい、わかりました

練習　例
(1)うん、いいよ。
(2)はい、わかりました。
(3)はい、わかりました。
(4)ああ、いい（です）よ。

p.59　(3)依頼・誘いを断る

問　(1)断っている　(2)断っている　(3)承諾している　(4)承諾している
(5)断っている　(6)断っている　(7)断っている　(8)断っている

練習　例
(1)謝罪：ごめんね　理由：私も今晩、読みたいと思っていて
(2)謝罪：申し訳ありません　理由：ちょっと用事があって
　　次回は承諾：次は必ずお手伝いしますので
(3)謝罪：申し訳ありません
　　理由：今、ちょっと仕事が忙しくて、時間がとれないんです
(4)謝罪：申し訳ありません　理由：日曜日は先に約束がありまして
　　可能動詞の否定形：お手伝いできないと思うんです
　　謝罪：本当に申し訳ありません
(5)謝罪：せっかく来てくださったのに、ごめんなさい
　　理由：今、適当なものがないみたいで
　　次回は承諾：次回までには何か探しておきますので
(6)謝罪：せっかく誘ってくださったのに、すみません
　　理由：日曜日には前から友達と約束があって
　　断る：ちょっと行けそうもないんです

(7)謝罪：大変申し訳ございませんが

　　今回は買わない：今回は購入を見合わせたいと存じます

p.61 (4)文句・苦情・不満を言う

問1 例

(1)もう少し小さい声で話していただけないでしょうか。

(2)黒板の字が薄いんですが、濃く書いていただけないでしょうか。

(3)音楽を止めていただけないでしょうか。

(4)たばこは喫煙室で吸っていただけないでしょうか。

(5)もう少し大きな声でお話しいただけないでしょうか。

(6)私も明日の会議に参加させていただけないでしょうか。

(7)何か飲み物をいただけないでしょうか。

(8)虫が入っているんで、新しいのに変えていただけないでしょうか。

問2 (1)来ないんですが　(2)すみません　(3)大きいんですけど　(4)すみません

練習 例

(1)あの、すみません、これ、買ったばかりなんですが、壊れているみたいで使えないんですけど。

(2)先生、申し訳ありません、ちょっとお話がよく聞き取れないんです、もう少しゆっくり話していただけませんでしょうか。

(3)すみません、携帯電話、ちょっとうるさいんですけど。(もう少し静かに話してもらえないでしょうか。)

(4)あの、すいません、ここ、禁煙なんですけど。

(5)あの、悪いけど、先週貸した本、返してもらえないかな。

p.63 **2. 助言・忠告**

(1)助言を求める

問1　(1)あります　あるんです

　　　　(2)相談したいんです

　　　　(3)ことで　困っているんです

　　　　(4)それで　したら

問2　例

　　　　(1)ありますから→あるんですが

　　　　　　どの薬は→どの薬が

(2)から→けど／が

　買いますか→買ったらいいでしょうか

(3)ましたが→たんですが

　行きますか→行ったらいいでしょうか

(4)どの本の方が→どんな本で勉強したら

　いいですか→いいでしょうか

(5)ならないから→ならなくて

　困る→困っている

(6)何ですか→ないでしょうか

練習1 例

(1)日本語の辞書が買いたいんですが、いい辞書を紹介していただけないでしょうか。

(2)忙しくなっちゃったからアルバイトを辞めたいんだけど、なんて言えばいいのかなぁ。

(3)来年、寮を出たらアパートを探さなくちゃいけないんですが、どうしたらいいでしょうか。

練習2 例

(1)ええ、頼んでみたんですけど、でも、きれいなノートじゃないからって断られてしまって。どうしたらいいでしょうか。

(2)ええ、直接聞いてみたんですけど、何でもいいよって言われてしまって。どうしたらいいでしょうか。

(3)ええ、でも、一人で練習しても上手くなっているのかどうかわからなくて。だれかに見てもらったほうがいいと思うんですが、どうしたらいいでしょうか。

p.64　(2)助言・忠告を与える

問　例

(1)早く帰ってください→早く帰ったほうがいいですよ

(2)練習すれば→練習したらどうかな

(3)話したがほうがいいですよ→話していただけると助かるんですが

(4)運動しなければなりません→運動しないと／運動しなくちゃ

(5)帰ったほうがいいですよ→お帰りになったほうがいいんじゃないでしょうか

> 練習　例
(1)魚料理より肉料理のほうがいいと思うよ。
(2)早く部長に事情を話したほうがいいんじゃないでしょうか。
(3)すぐに帰国して、様子を見てきたほうがいいよ。
(4)変えてくれって頼んだほうがいいんじゃない？
(5)お店の人に言ったほうがいいよ。
(6)店の人に言ったほうがいいんじゃないでしょうか。

p.66　(3)助言・忠告を理解する

> 問　(1)ありがとうございます→どうもすみません、気をつけます
(2)いえ、いいです→はい、わかりました
(3)そうでしょうか…→はい、わかりました

> 練習1　(1)助言　わかりました、そうします、ありがとうございました。
(2)指示　はい、すみません。
(3)指示　わかりました、じゃあ、何とかします。どうもすみません。
(4)助言　そうなんですか、じゃあ、オーストラリアも検討してみます。
(5)指示　はい、そうします、どうもすみません。

> 練習2　例
①実は　②ことなんですが　③飼い始めたんです
④どうしたらいいんでしょう　⑤してみたら（どう）
⑥話したら（どう）　⑦どう言えばいいんでしょうか
⑧入れておいたら（どう）　⑨じゃあ、そうします
⑩ったほうがいいかもしれない
⑪そのときは話してみます。どうもありがとうございました

p.68　**3. 主張・意見**

(1)賛成意見・反対意見を述べる

> 問　(1)反対　(2)賛成　(3)賛成　(4)反対　(5)反対

> 練習1　例
(1)B：それはいいですね。
　　C：高いかもしれませんが、そのほうがいいと思いますよ。
　　D：そうですね、ちょっと忙しいですけど、金曜日でいいと思いますよ。
(2)B：うん、したほうがいいよ。

B：それはいいね。
　　　B：フランス料理のほうがいいんじゃない？

練習2　例
　(1)B：申し訳ないんですが、今週はちょっと忙しくて。
　　　C：でも、それは学生の仕事なんでしょうか。
　　　D：やっぱり、先生や他の学生とも相談したほうがいいんじゃないでしょうか。
　(2)B：悪くないけど、日本でも英語の勉強はできるんじゃないかな。
　　　A：仕事しながらだと、なかなか勉強に集中できないと思うんだよね。
　　　B：親にもよく相談して、もう少し考えて決めたほうがいいんじゃない？

p. 70　(2)自分の意見を述べる

問　(1) x　(2) x　(3) x　(4) y　(5) y　(6) x

練習1　例
(1)そんなに難しくないんじゃない（の）？
(2)駅の近くのホテルがいいんじゃないですか？
(3)佐藤さんは忙しいんじゃないかと思うんですが。
(4)選ばれたらうれしいんですけど。／選ばれたら大変光栄です。
(5)午前中は会議室が取れないので、午後2時ごろに開始するのがいいんじゃないかと思うんですが。

練習2　例
　　最近の若者は本を読まなくなったと思います（なりました）。電車の中で漫画を読む人も少なくなったように思います。音楽を聴く姿も以前より見かけないようです。街や電車の中で見かける若者がやっていることは、携帯電話で話したり、メールを読んだり送ったりすることばかりです。これは問題ではないでしょうか。若いうちは自分の知らないことを吸収する必要がありますし、本を読んだり、人と話したりすることが、そのよい刺激になると思います。けれど、今の若者は、居心地のいい自分一人の世界から出ようとしていないのではないでしょうか。

練習3　例
　　このレポートではアフリカの人口増加問題を取り上げる。／取り上げたいと思う。ここで取り上げた資料を見ると、この問題は日本社会と深い関係があるのではないだろうか。／のではないかと思われる。日本において、これらの国からの輸入が増加すれば、こうした国々の経済成長にも貢献できるだろ

う。／と思われる。また、日本のＯＤＡ政策も再検討すべきなのではないだろうか。

p. 72 (3)評価する

- **問** (1)肯定的　(2)肯定的　(3)否定的　(4)否定的
　　　(5)肯定的　(6)否定的　(7)否定的　(8)肯定的
- **練習1** (1)b　(2)a　(3)b　(4)a　(5)b
- **練習2** 例
  - (1)ちょっと読みにくいところがあったんですが
  - (2)私にはちょっと大きかったみたい
  - (3)少し声が小さいんじゃないかな
  - (4)ちょっと意味がよくわからなかったよ
  - (5)ちょっと私にはお話が速すぎてついていけないものですから

p. 74 (4)評価に対応する

- **問** (1)a　(2)b　(3)a　(4)c
- **練習1** (1)a　(2)f　(3)c　(4)b
- **練習2** (1)b　(2)b　(3)b　(4)a　(5)a　(6)b　(7)a　(8)a

p. 77 ## 4. 許可・申し出

(1)許可を求める

- **問1**　b
- **問2**　例
  - (1)よろしいか→よろしいですか／いいですか
  - (2)いいです→どうぞ
  - (3)いいですよ→わかりました
- **練習1**　例
  - (1)①（すみません、）ホームで携帯電話を使ってもいいですか
  　　②どうも
  - (2)①今週締め切りの報告書なんですが、来週提出してもよろしいでしょうか
  　　②はい、本当にすみません。来週月曜日に必ず出しますので
  - (3)①ごめん、借りた本、持ってくるの、忘れちゃったんだ。返すの、明日でもいいかな／明日返してもいい

18

②ありがとう。ごめんね

(4)①もう一度1時間後にかけてもよろしいでしょうか

②どうもすみません

(5)①教室でパーティをしてもいいでしょうか

②はい、必ず片付けますので。どうもありがとうございます

練習2 (1)不許可　(2)許可　(3)不許可　(4)不許可　(5)許可
(6)不許可　(7)許可　(8)不許可　(9)不許可

p.79　(2)自分の行動を申し出る

問　例

(1)持ってきますよ→お持ちしましょうか

(2)来週出します→来週出してもよろしいでしょうか

(3)持ってあげますよ→お持ちします

(4)あげましょうか→どうぞ

(5)始めましょうよ→始めます

練習　例

(1)お持ちします／お持ちしましょうか

(2)貸してあげようか／貸そうか

(3)ご紹介しましょうか

(4)ご報告します

(5)手伝いましょうか／お手伝いしましょうか／お手伝いします

(6)ご紹介します

(7)買ってくる

　　注文しておく

　　みる／みるよ／みるね／みようか

p.82　## 5. 感謝・おわび

(1)感謝する

問　(1)ありがとう→ありがとうございました

(2)○

(3)どうも→どうもありがとうございます

(4)○

(5)どうもすいませんでした→どうも（すいません）

練習1　(1)b　(2)c　(3)a　(4)d
練習2　(1)ありがとうございます／すみません
　　　(2)すみません
　　　(3)ありがとう／助かる
　　　(4)ありがとう
　　　(5)ありがとうございました
　　　(6)どうも
　　　(7)どうも／すみません
　　　(8)ありがとうございます／すみません
練習3　(1)e　(2)f　(3)d，b

p.84　(2)わびる

問1　(1)がかかって→をおかけして
　　(2)心配をかけて→ご心配をおかけして
　　(3)しないと思います→しないよう気をつけます
　　　　　　　　　こんなことのないよう気をつけます
　　(4)ごめんなさい→すみませんでした
　　(5)コーヒーがこぼれて、汚れました
　　　→（うっかり）コーヒーをこぼして、汚してしまったんです

問2　A(1)c　(2)a　(3)b
　　 B(1)d　(2)a　(3)b　(4)c

練習　例
　　(1)①すみませんでした
　　　②今度は気をつけますので。本当にすみませんでした
　　(2)①ごめん
　　　②ごめん、ついうっかりして
　　　③明日、必ず持ってくるから
　　(3)①申し訳ございません
　　　②どうもすみません
　　(4)①申し訳ありません
　　　②いろいろすみませんでした（いろいろありがとうございました）

解 答

総合演習

p.86　Ⅰ　使い方について考える

1

<問１>尊敬表現を使用してはいるが、「指示」する言い方になっているから。「推薦状を書く」ことは、学生にとって利益があることなので、「依頼」であることがよくわかる表現にしたほうがよい。

<問２>書いていただけませんか。（原文）

<問３>先生が座ることが学生の利益になるわけではないので、「依頼」の形にする必要はない。「依頼」の形で言うと、「私のためにしてください」ということを表してしまい、不要な意味が加わってしまう。たとえば、座らない相手を非難したり、「早く（座ってください）」と相手をせかすような意味が加わることもある。

2

(1)①お先に失礼します　②｛ねぎらう｝　③お疲れさまでした

(2)十分

(3)①｛お悔やみ｝　②｛故人｝　③｛遺族｝

(4)①｛お客様に申し訳ない｝　②｛意にそえない｝

(5)①おめでた　②もうすぐ

(6)①召す　②召す

(7)①いただけませんでしょうか　②｛許可｝

(8)①ようだ／みたい　②ようです　③ご確認

(9)①やはり　②けれども私は驚いてしまって全然食事

3(1)①｛くれる｝　②くれた　③あげた　④｛あげる｝

(2)①｛失礼｝　②｛謙譲語｝　③｛押し付けがましい｝　④どうぞ

(3)いたします

(4)きてくれて

4 (1)①{電話会社} ②{電話をかけている人}
(2)①{電話会社} ②{電話の持ち主}
(3)電話
(4)「おられる」を「ある」にする（主語が「電話」であるから）

p. 91　Ⅱ　短いメッセージの使い方
1　Y　理由→Xにはお詫びのことばがないから。
2　X　理由→Yには先生の都合を配慮する表現がないから。
3　Y　理由→「御社はキャンセルしたい」が、断る場面には不適切だから。
4　Y　理由→Yには他の友人に対する配慮があるが、Xにはそれがないから。
5　X　理由→Yには相手の手助けに対する感謝のことばがないから。

p. 94　Ⅲ　実践練習（話す時の使い方）
1　①お伺いし　②おとりになって　③おります　④なさっている　⑤いただき

2　原文は以下の通り。
(1)①召し上がる　②飲まれる　③拝見して
(2)①いらっしゃる　②される
(3)①お思いになった　②おいくつ　③お思いになりませんでした

3　原文は以下の通り。
(1)いただく
(2)①書かれた　②でございま　③おり　④いたしております　⑤ございません

4　①でしょう　②と申します　③になっております　④申し訳ございません
　⑤ございまして　⑥させていただきました　⑦恐れ入りますが
　⑧お願いできませんでしょうか

5 例　①{いらっしゃいますか}　②【お世話になっております】
　　　③【ございまして】　④【いたしております】　⑤{私ども}
　　　⑥【お伺いして】　⑦【おります】　⑧【恐縮でございます】
　　　⑨【お送りした】　⑩【お答えいただきたい】
　　　⑪【お願いできませんでしょうか】　⑫【でございます】

6 (1)①どうぞ／上がって ②ごめんください ③にあずかりまして
④しておりました ⑤お上がりください
⑥おじゃまいたします／失礼いたします
(2)①帰らなくちゃ ②またね ③おいとまします／失礼します
④そうもしていられません ⑤おいで／いらして
⑥失礼いたします／おじゃまいたしました

p.98 Ⅳ 実践練習（書く時の使い方）
1例 ①ご帰国 ②存じます ③お送りくださった ④拝見し ⑤いらっしゃる
⑥お誘い ⑦いらして ⑧（いた）しております ⑨なさってください

2例 ①申し訳ございませんでした ②電話した ③お出になった
④お許しください ⑤まいり ⑥おります ⑦お聞かせ ⑧いたします

★3例 ①｛弊社｝ ②【努めております】 ③｛つきましては｝ ④【ご満足いただく】
⑤【お聞かせ】 ⑥【させていただきます】 ⑦｛ご協力のほど｝
⑧【お答えいただいた】 ⑨｛粗品｝ ⑩【差し上げます】
⑪【かえさせていただきます】

★4例 (1)①いたします ②お勧めします ③ご記入 ④お送り ⑤ご利用
(2)①お届けした ②ご確認 ③ご返送 ④ご負担いただきます
⑤負担いたします
(3)発送いたします
(4)①ございます ②ご容赦ください ③おります

★5 ①｛判明いたしました｝ ②｛当該商品につきましては｝
③｛させていただいております｝ ④｛ならびに｝
⑤｛おかけし｝ ⑥お詫び申し上げます ⑦｛お召し上がりいただく｝
⑧｛万全を尽くす所存でございます｝ ⑨よろしくお願い申し上げます

★6 ①b ②b ③a ④c ⑤d ⑥e ⑦e ⑧a ⑨a